인공지능과 친구되는 방법

프롬프트 전략

(인공지능과 친구되는 방법) 프롬프트 전략

발 행 | 2024년 7월 30일
지은이 | 최 선
펴낸이 | 한건희
펴낸곳 | 주식회사 부크크
출판사등록 | 2014.07.15.(제2014-16호)
주 소 | 서울특별시 금천구 가산디지털1로 119 SK트윈타워 A동 305호
전 화 | 1670-8316
이메일 | info@bookk.co.kr

ISBN | 979-11-410-9592-5

www.bookk.co.kr

목 차

머리말

> "AI는 단순히 사람을 로봇이 대체하는 데 그치지 않는다. AI로 인해 전 산업에서 천지개벽이 일어날 것이다. 비즈니스 모델은 매우 투명하게 진화하고 소비자가 더 많은 정보를 볼 수 있을 것이다. 디지털 비서를 통해 최적가를 찾고 리뷰가 좋은 제품을 확인할 수도 있을 것이다. 더 이상 정보 비대칭을 이용해 사람들에게 터무니 없는 값을 부과할 수는 없을 것이다.
>
> - 카이 푸 리 박사, 시노베이션 벤처스 회장 겸 CEO

이 책에 오신 여러분을 환영합니다. 이 책은 대형 언어 모델인 생성 AI(인공지능, Artificial Intelligence, AI)의 고품질 답변을 얻는 데 사용되는 프롬프트(Prompt) 기술을 이해하고 활용하기 위한 안내서입니다. Chat GPT(챗 GPT), 빙챗, 코파일럿, 재미나이, 클로바X 등은 인간과 같은 문자를 생성할 수 있는 언어 모델입니다. 이 모델을 사용하여 사용자가 원하는 결과를 얻기 위해서는 생성형 AI에게 올바른 질문을 하는 방법을 이해하는 것이 중요합니다. 이 책은 일반인, 직장인, 학생 등이 프롬프트를 사용하여 생성 AI를 활용하고자 하는 여러분을 위해 쓰여졌습니다. 필자는 프롬프트 기술에 대한 예시와 프롬프트 원리를 포함한 실무적인 설명과 함께 간단한 사례를 분석해 왔습니다. 이 책을 활용하면 프롬프트를 활용하여 사용자의 요구에 맞는 결과물(문자, 이미지 등)을 생성하는 방법을 배울 수 있습니다.

2022년 말부터 인공지능(AI)이 인류의 미래를 형성하는 데 중심 역할을 할 것이라는 사실이 확실해지고 있습니다. AI의 잠재력은 실로 엄청나며 우리 삶의 거의 모든 측면을 혁신할 수 있는 힘을 가지고 있습니다. AI는 빠른 데이터 축적을 기반으로 발전 속도를 높이고 있습니다. 초기의 AI는 학습된 결과를 도출하는 형태에 불과해서 생활 및 산업에 광범위하게 적용되기 어려웠습니다. 하지만 현재 생성형 AI를 필두로 빠른 기술 발전을 기반으로 다양한 분야에 적용될 전망입니다. AI를 도입할 경우 크게 시간 절약, 비용 절감, 수율 및 품질 개선, 서비스 및 효율 증대의 효과를 누릴 수 있기 때문입니다.

이에 따라 끊임없이 진화하는 인공지능과 자연어 처리 환경에서 AI 시스템과 효과적으로 소통하는 능력은 필수적인 기술이 되었습니다. AI가 고객 서비스부터 창의적인 글쓰기에 이르기까지 우리 삶의 다양한 측면에 계속해서 스며들면서 우리가 입력 또는 프롬프트를 작성하는 방식은 우리가 받는 자료의 품질과 관련성에 큰 영향을 미칠 수 있습니다. 이 책은 프롬프트 엔지니어링의 복잡한 세계를 탐구하며, AI의 잠재력을 최대한 활용할 수 있도록 프롬프트를 설계, 개선 및 활용하는 기술을 마스터하는데 세부적인 가이드를 제공합니다.

프롬프트는 인간의 의도와 AI 실행을 연결하는 다리 역할을 합니다. 대형 언어 모델에 공통적으로 활용할 수 있도록 안내하여 원하는 응답을 생성하는 입력문을 만드는 작업이 포함됩니다. 잘 만들어진 프롬프트의 힘은 구체적이고 정확하며 상황에 맞게 적절한 결과를 이끌어내는 능력에 있습니다. 이러한 프롬프트를 만드는 것은 예술이자 과학이므로 언어의 뉘앙스, 상황별 단서 및 AI의 작동 메커니즘에 대한 이해가 필요합니다.

프롬프트를 익히는 첫 번째 단계는 기본 개념을 이해하는 것입니다. 프롬프트는 단순한 질문이나 지침, 명령 그 이상입니다. 사용자의 의도와 맥락을 신중하게 구성된 언어 도구입니다. 이 책은 명확성, 구체성, 상황 인식 등 효과적인 격려를 뒷받침하는 기본 원칙을 탐구하는 것부터 시작합니다. 이러한 핵심 요소를 분석함으로써 더욱 발전된 기술과 응용을 위한 기반을 마련합니다.

프롬프트 설계는 AI를 사용하기 위한 전략적 프로세스입니다. 정확성과 유연성 사이의 균형이 필요하므로 AI가 요청을 이해하는 동시에 창의적이고 관련성이 높은 응답을 위한 공간을 확보할 수 있습니다. 프롬프트 설계의 원칙을 탐구하고, AI의 강점을 극대화하고 약점을 완화하는 프롬프트를 구성하는 방법을 검토합니다. 여기에는 질문 구성, 맥락 제공, 잠재적 모호성 예측을 위한 기술이 포함됩니다. 실용적인 예와 자세한 설명을 통해 사용자는 AI와의 의미 있고 생산적인 상호 작용을 유도하는 프롬프트를 만드는 방법을 배우게 됩니다.

프롬프트 유형과 기술의 다양성은 사용자가 가질 수 있는 다양한 응용 프로그램과 목표를 반영합니다. 창의적인 콘텐츠 생성, 사실 정보 검색, 문제 해결 촉진 등의 목적이 무엇이든 프롬프트에 대한 다양한 접근 방식은 다른 결과를 가져올 수 있습니다. 개방형 프롬프트, 지시 프롬프트 등 특정 시나리오 및 결과에 맞춰진 다양한 프롬프트 유형을 살펴보겠습니다. 퓨샷 프롬프팅, 제로 샷 프롬프팅, 일련의 사고 프롬프팅과 같은 기술이 공개되어 고유한 장점과 최고의 사용 사례를 보여줍니다.

이론적인 지식 외에도 실제적인 적용이 무엇보다 중요합니다. 이 책은 프롬프트 원칙이 실제 상황에서 어떻게 적용되는지 보여주는 풍부한 사례를 제공합니다. 사용자의 일상생활, 교육, 비즈니스, 의료, 엔터테인먼트 등 다양한 영역에서 성공적인 프롬프트를 검토함으로써 사용자는 프롬프트 엔지니어링의 다양성과 적응성에 대한 통찰력을 얻게 됩니다. 이러한 사례는 효과적인 사례를 보여줄뿐만 아니라 다양한 목적으로 AI를 활용하는 접근 방식에 영감을 줍니다.

이 책의 목표는 사용자들이 능숙하게 프롬프트를 사용할 수 있도록 기술과 지식을 갖추는 것입니다. AI가 계속해서 발전함에 따라 이러한 시스템과 효과적으로 통신하는 능력은 더 중요해질 것입니다. 사용자가 노련한 전문가이든 호기심이 많은 초보자이든 이 책은 자극의 기술에 대한 철저하고 이해하기 쉬운 안내서를 제공합니다. 이 책에 설명된 원리, 기술 및 응용 방법을 숙달하면 AI와의 상호 작용에서 새로운 가능성을 열고 더 큰 효율성과 창의성을 얻을 수 있습니다.

우리는 통상적으로 인공지능을 사람 같이 사고하고 행동할 수 있는 과학기술로, 인간의 업무를 대체 및 보완하기를 기대합니다. 이를 위해 프롬프트의 세계로의 여행은 흥미롭고 보람찬 일입니다. 이는 인간-AI 협업의 미래를 형성할 수 있는 기회를 제공하여 의미 있고 영향력 있는 방식으로 인공지능의 힘을 활용할 수 있는 능력을 향상시킵니다. 이 책은 이 여정의 동반자로서, 사용자가 능숙하고 자신감 있는 프롬프트를 사용하는데 도움이 되는 실용적인 지침을 제공합니다. 사용자의 질문이 지혜과 지능을 형성하는 프롬프트의 세계에 오신 것을 환영합니다.

2024년

최 선

프롬프트와 플랫폼

"챗 GPT 와 같은 생성형 AI 가 우리의 세상을 바꿀 것이며, 사용자의 질문에 놀라울 정도로 인간과 유사하게 답하는 챗봇인 챗 GPT 가 인터넷만큼 중대한 발명이라고 믿는다"

- 빌 게이츠 마이크로소프트(MS) 공동 창업자

- 프롬프트(Prompt)
- 프롬프트 엔지니어링
- 생성 AI 플랫폼
  - 빙(bing) 및 코파일럿(Copilot)
  - 제미나이(Gemini)
  - 클로드(Claude)
  - 퍼플렉시티(Perplexity)
  - 클로바X
  - 뤼튼

프롬프트(Prompt)

우리는 빠르게 변화하는 세상에서 더 짧은 시간에 더 많은 일을 처리하고 싶어합니다. 그래서 모든 사람이 AI 적용을 시작하고 그 결과를 자신의 삶에 활용하고 있습니다. 이 책에서 설명하는 프롬프트를 사용하지 않더라도 사용자는 이미 인공지능을 사용하고 있습니다. 인공지능이라는 말을 여러 번 들어보셨지만 자신과는 상관없다고 생각하셨을 텐데 사실은 그렇지 않습니다. 인공지능은 우리 일상생활에서 활용 범위가 넓습니다. 이를 '악의 천재적인 방법으로 세상을 지배하는 로봇' 시나리오라고 말하는 의견도 있지만, 인공지능이 우리의 시간과 돈, 에너지를 절약함으로써 삶을 단순화했다는 데에는 의심의 여지가 없습니다.

많은 사람들이 카카오톡, 밴드, 페이스북, 트위터, 인스타그램 등의 소셜미디어 계정을 매일 확인합니다. 인공지능은 사용자가 확인하는 것을 맞춤화하기 위해 배후에서 하나의 알고리즘으로 작동할 뿐만 아니라, 가짜 뉴스를 인식하고 걸러내고, 친구 등의 추천을 알아냅니다. 우리가 일상적으로 사용하는 음악과 미디어 스트리밍 서비스도 이러한 AI의 예입니다. AI는 넷플릭스 또는 유튜브를 사용하든 결정을 내립니다. 이 플랫폼은 취향에 따라 추천을 생성합니다. 다음 번에 유튜브에서 추천 비디오를 재생하거나 넷플릭스 또는 기타 미디어에서 추천을 할 때 AI가 작동하고 있습니다.

이제 이 책의 내용으로 설명드리겠습니다. 아마도 뉴스와 트렌드에 주의를 기울였다면 오픈AI(Open AI)사의 생성 AI 플랫폼인 Chat GPT가 인공지능을 한 단계로 끌어올렸다는 내용을 보거나 들었을 것입니다. Chat GPT 모델에는 GPT-2, GPT-3 및 최신 GPT-4와 같은 여러 버전이 있으며, 모두 성능, 문자 해석 기능 및 문자 생성 기능 등 이전 버전보다 점점 더 발전하고 있습니다. 이 외에도 빙, 클로드, 코파일럿, 구글의 재미나이 등이 생성 AI 플랫폼으로 서비스되고 있습니다. 프롬프트는 이러한 생성 AI 플랫폼에서 사용할 수 있습니다.

AI로부터 원하는 관련 응답을 받으려면 좋은 프롬프트를 작성하는 것이 필수입니다. Chat GPT나 기타 AI 기반 챗봇에 유사한 프롬프트를 입력했다면, 자신도 모르는 사이에 이미 프롬프트를 사용하고 있는 것입니다. 프롬프트는 사용자가 해당 모델에서 생성된 출력을 제어할 수 있는 유일한 방법입니다. 따라서 대화에 AI 시스템을 참여시키는 데 사용되는 프롬프트의 품질이 성공을 결정하는 핵심이라는 것은 놀라운 일이 아닙니다.

프롬프트는 'AI에게 무언가를 요청하는 것'을 표현하는 용어입니다. 간단히 말해서 AI와 대화하도록 돕는 첫 과정입니다. 전문적으로 프롬프트는 AI가 답변이나 출력을 생성하도록 안내하는 질문 또는 명령어입니다. 프롬프트는 구체적 지시를 내릴 것, 명확한 조건을 제시할 것, 맥락과 예시를 제공할 것, 응답의 상세한 정도를 요청할 것, 해당 영역의 전문어를 사용할 것(Ekin, 2023)을 제시하기도 합니다. 국내에서도 프롬프트는 조건을 구체적으로 제시할 것, 역할을 부여할 것, 말투나 난이도 등에 대해 구체적으로 설명할 것(심재우, 2023; 천인국, 2023)을 제시합니다. 이처럼 프롬프트는 사용자의 상황을 구체화할 것, 과제의 목표를 명확히 할 것, 제공할 응답의 형태를 구체적으로 제시할 것, 단계적으로 설명할 것을 공통적으로 제시하고 있습니다.

프롬프트는 AI 모델이 특정 답변을 만들도록 안내하는 데 사용되는 문자 또는 일련의 지침입니다. 즉 AI가 답변을 도출하도록 하는 질문이나 주제입니다. 프롬프트는 문자, 이미지, 코드 및 기타 창의적인 콘텐츠를 생성하는 데 사용할 수 있습니다. 실제로 사용자가 Chat GPT, 빙챗, 코파일럿, 재미나이 등의 생성 AI 플랫폼에 아래와 같은 질문을 하는 것이 프롬프트입니다.

프롬프트 :

AI에 대해 알려주세요

이러한 질문을 하게 되면 생성형 AI 플랫폼은 아래와 같이 응답할 수 있습니다.

생성형 AI :

인공 지능(AI)은 인간처럼 생각하고 행동하도록 설계된 기계에서 인간 지능을 시뮬레이션하는 것을 말합니다. AI는 머신러닝, 자연어 처리, 컴퓨터 비전, 로봇공학 등 광범위한 기술과 애플리케이션을 포괄합니다. 다음은 AI의 몇 가지 주요 측면에 대한 개요입니다.

AI의 종류

1. **좁은 AI(약한 AI):**
   - **정의:** 얼굴 인식이나 인터넷 검색과 같은 특정 작업을 수행하도록 설계되었습니다.
   - **예:** 가상 비서(예: Siri 및 Alexa), 추천 시스템(예: Netflix 및 Amazon의 시스템).
2. **일반 AI(강한 AI):**
   - **정의:** 인간이 할 수 있는 모든 지적 작업을 이해하고 수행하는 것을 목표로 합니다.
   - **상태:** 현재 이론상이며 아직 구현되지 않았습니다.
3. **초지능 AI:**
   - **정의:** 인간의 지능과 능력을 능가합니다.
   - **상태:** 가정적이며 많은 논쟁과 추측의 대상입니다.

이처럼 프롬프트는 사용자와 Chat GPT 간의 주요 통신 수단으로 사용됩니다. 사용자의 의도에 맞는 응답을 생성하도록 모델을 안내합니다. 프롬프트의 품질은 생성된 응답의 품질에 직접적인 영향을 미치므로 Chat GPT와 효과적이고 의미 있는 상호 작용을 생성하려면 프롬프트 엔지니어링의 뉘앙스를 이해하는 것이 중요합니다. 프롬프트 작성의 필수 측면은 모델이 주어진 입력을 어떻게 해석하고 응답할지 예측하는 것입니다. 여기에는 모델의 학습 데이터, 편향, 이해 및 생성 기능에 영향을 미칠 수 있는 기타 제한 사항 등의 요소를 고려하는 작업이 포함됩니다.

원하는 결과를 만들어내는 좋은 프롬프트를 작성하는 것은 예술입니다. 프롬프트는 단순하거나 복잡할 수 있다. 생성하고자 하는 답변의 복잡성에 따라 한 단어일 수도 있고 한 단락만큼 길 수도 있다. 프롬프트를 작성할 때는 구체성과 창의성이 중요합니다. 먼저 가능한 한 구체적으로 작성하는 것이 좋습니다. 구체적일수록 AI 언어모델이 기대하는 답변을 생성할 가능성이 높아집니다. 다음은 창의적으로 작성하는 것이 좋습니다. 창의적으로 만들수록 답변이 흥미롭고 독특한 결과를 얻을 수 있습니다. 효과적인 프롬프트 작성법을 배우면 AI의 능력을 최대치로 발휘할 수 있습니다. Chat GPT를 시작할 때 잘 수행하는 방법을 배워야 하는 것 중 하나입니다. 프롬프트는 AI 챗봇, Chat GPT 등에서 얻는 결과의 품질을 결정합니다. 프롬프트는 모델이 생성하는 출력에 큰 영향을 미칩니다. 잘 설계된 프롬프트는 관련성 있고 정확한 출력을 생성하도록 모델을 안내하는 데 도움이 될 수 있지만 잘못 설계된 프롬프트는 관련이 없거나 혼란스러운 출력으로 이어질 수 있습니다.

프롬프트 엔지니어링

Chat GPT를 사용해 보았다면 '질문의 중요성'을 느꼈을 것입니다. 서울의 맛집을 찾기 위해 Chat GPT에게 "서울 맛집을 추천해 줘"라고 입력하면 한식, 중식, 일식 등을 구별하지 않고 수많은 맛집을 추천합니다. 더 나아가 "서울시 중구의 한식 맛집을 추천해 줘"라고 원하는 조건을 정하여 질문하면 보다 구체적인 답을 해 줍니다. 질문에 따라 답이 다르기 때문에 자신이 원하는 답을 얻기 위해서는 질문을 잘해야 합니다.

프롬프트의 효과는 입력 내용의 구체성과 명확성에 따라 달라집니다. 실제로 프롬프트는 생성 AI 모델을 사용하는 데 있어 쉬운 부분이자 가장 어려운 부분입니다. 문자 기반 프롬프트의 단서와 뉘앙스가 복잡하기 때문에 일부 조직에서는 프롬프트 엔지니어링 직무를 맡게 됩니다.

프롬프트 엔지니어링은 프롬프트를 만들거나 Chat GPT 등과 같은 언어 모델의 출력을 안내하는 질문이나 지시를 내리는 과정입니다. 사용자는 모델의 출력을 제어하고 특정 요구에 맞는 문자를 생성할 수 있습니다. 프롬프트 엔지니어링은 AI에서 작업 설명을 입력에 삽입하는 행위를 의미합니다. 컴퓨터 코드를 통해 명시적인 명령을 입력하는 대신 자연어 형식으로 처리합니다. 프롬프트 엔지니어는 교육받은 AI 전문가이거나 원하는 결과를 도출하는 프롬프트 제작에 적용할 수 있는 충분한 직관적 지능이나 기술을 보유한 사람일 수 있습니다.

프롬프트 엔지니어링은 다양한 애플리케이션과 연구 주제에 언어 모델(LM)을 효율적으로 사용할 수 있도록 프롬프트를 개발하고 최적화하는 비교적 새로운 분야입니다. 프롬프트 엔지니어링 기술은 대형 언어 모델(LLM)의 기능과 한계를 더 잘 이해하는 데 도움이 됩니다. 연구자들은 프롬프트 엔지니어링을 사용하여 질문 답변 및 산술 추론과 같은 일반적이고 복잡한 다양한 작업에서 LLM의 역량을 향상시킵니다. 개발자는 프롬프트 엔지니어링을 사용하여 LLM 및 기타 도구와 인터페이스하는 강력하고 효과적인 프롬프트 기술을 설계합니다.

프롬프트를 통해 이미 많은 것을 성취할 수 있지만 결과의 품질은 얼마나 많은 정보를 제공하느냐에 따라 달라집니다. 프롬프트에는 모델에 전달할 지시 사항이나 질문과 같은 정보가 포함될 수 있으며 입력 또는 예제와 같은 기타 세부 정보도 포함될 수 있습니다.

다음은 간단한 프롬프트의 기본 예입니다:

프롬프트 : 하늘은

생성형 AI : 파란색

맑은 날의 하늘은 파란색입니다. 흐린 날에는 하늘이 회색이거나 흰색일 수 있습니다. 언어 모델은 "하늘은"이라는 문맥을 고려할 때 의미 있는 문자열의 연속을 출력합니다. 이 출력은 예상치 못한 결과이거나 수행하려는 작업과는 거리가 멀 수도 있습니다. 이 기본 예는 구체적으로 무엇을 달성하고자 하는지에 대한 더 많은 지침을 제공해야 할 필요성을 강조합니다.

더 개선해 보겠습니다:

프롬프트: 문장을 완성하세요. 하늘은

생성형 AI : 오늘은 너무 아름다워요.

이제 좀 나아졌나요? 모델에 문장을 완성하라고 했기 때문에 사용자가 지시한 대로("문장을 완성하세요") 결과가 훨씬 더 좋아 보입니다. 모델에 작업을 수행하도록 지시하는 최적의 프롬프트를 설계하는 이러한 접근 방식을 프롬프트 엔지니어링이라고 합니다.

Chat GPT는 인간과 같은 문자를 생성할 수 있는 최첨단 언어 모델입니다. 그것은 많은 양의 데이터를 처리하고 고품질의 문자를 생성할 수 있도록 하는 트랜스포머 아키텍처를 기반으로 합니다. 그러나 Chat GPT에서 최상의 결과를 얻으려면 모델을 적절하게 프롬프트하는 방법을 이해하는 것이 중요합니다. 프롬프트를 통해 사용자는 모델의 출력을 제어하고 고품질의 문자를 생성할 수 있습니다.

Chat GPT와 사용할 때는 기능과 한계를 이해하는 것이 중요합니다. 이 모델은 사람과 유사한 문자를 생성할 수 있지만 적절한 지침이 없으면 원하는 출력을 생성할 수 없습니다. 명확하고 구체적인 지침을 제공함으로써 신속한 엔지니어링이 가능합니다. 모델의 출력을 안내하고 관련성이 있는지 확인할 수 있습니다. 프롬프트 공식은 프롬프트에 대한 특정 형식이며 일반적으로 주요 요소로 구성됩니다.

작업; 프롬프트가 모델에 생성하도록 요청하는 내용을 명확하고 간결하게 설명합니다.

지시사항; 문자를 생성할 때 모델이 따라야 하는 지시사항.

역할; 문자를 생성할 때 모델이 수행해야 하는 역할입니다.

프롬프트 엔지니어링은 Chat GPT 등과 같은 언어 모델에서 중요한 측면입니다. 여기서 사용자는 모델의 응답을 효과적으로 안내하기 위해 입력 또는 "프롬프트"를 신중하게 설계하고 구조화합니다. 이 프로세스에는 원하는 답변의 형식을 지정하고, 프롬프트에 관련 정보를 제공하거나, 답변을 결정하기 전에 모델에 단계별로 생각하거나 장단점에 대해 토론하도록 요청하는 작업이 포함될 수 있습니다. 프롬프트 엔지니어링의 중요성은 AI 모델의 출력 품질에 큰 영향을 미치는 능력에 있습니다. 이를 통해 사용자는 특정 사용 사례에 맞게 모델의 응답을 맞춤화하여 AI 시스템의 신뢰성, 유용성 및 안전성을 향상시킬 수 있습니다. 적절하게 엔지니어링된 프롬프트는 모델의 편견을 완화하고, 해롭거나 오해의 소지가 있는 정보를 생성하는 것을 방지하고, 미묘한 상황별 콘텐츠의 이해와 생성을 향상시키는 데 도움이 될 수 있습니다. 이러한 일을 수행하는 프롬프트 엔지니어라는 직업이 해외뿐만 아니라 국내에서도 새로 생겼습니다. 다음의 신문 기사 중 일부를 참조하시기 바랍니다.

인공지능(AI) 챗봇 '챗GPT' 등 생성형 AI 열풍이 불면서 연봉 33만5천 달러 (약 4억4천만원)를 받을 수 있는 새 직업 '프롬프트 엔지니어'(prompt engineers)가 주목을 받고 있다고 블룸버그통신이 소개했다.
'프롬프트 엔지니어'는 AI가 최고의 결과물을 도출하는 데 필요한 명령어, 즉 '프롬프트'(prompts)를 작성하는 한편 AI 관련 인력을 훈련하는 일을 하는 직역을 말한다. 글로벌 경영컨설팅 기업 액센추어의 자회사로 AI 컨설팅 회사인 무다노의 프롬프트 엔지니어인 앨버트 펠프스는 이에 대해 "'AI 위스퍼러(조련사)'라고 할 수 있다"고 설명했다. 현재 오픈AI의 챗GPT와 같은 챗봇에 필요한 명령어를 작성해 향후 고객들이 챗봇을 이용할 때 활용할 수 있도록 오픈AI에 사전 설정으로 저장해 놓는 일을 하고 있다고 소개했다. 소프트웨어 엔지니어가 프로그래밍 언어를 사용해 소프트웨어 코드를 작성하는 것과 달리 챗GPT나 GPT-4 등 생성형 AI는 명령어를 입력해 작업을 지시하는데, 원하는 결과를 AI가 생성하도록 가장 적합한 명령어를 고르는 것이 관건이다. 펠프스는 "프롬프트 엔지니어는 제한된 단어 내에서 핵심적인 의미를 추출하는 일종의 언어 놀이를 하기 때문에 역사나 철학, 언어학 출신자들이 많다"고 설명했다.

자료 : 연합뉴스(2023), 생성형AI 붐에 새 직업 '프롬프트 엔지니어' 뜬다…"연봉 4억대", 2023. 3. 30.

프롬프트 엔지니어는 AI 언어모델의 프롬프트를 만드는 전문가입니다. AI 언어모델이 응답을 생성하는 데 사용할 문자 또는 지침인 프롬프트를 설계하고 개발합니다. 프롬프트는 AI 언어모델의 답변에 큰 영향을 미칩니다. 나아가 프롬프트 엔지니어는 고품질의 정확한 AI 언어모델을 개발하는 데 매우 중요한 역할을 합니다.

프롬프트 엔지니어의 주요 업무는 주어진 주제와 가장 관련성이 높고 주요한 단어 식별하기, 잘 구조화되고 문법적으로 올바른 프롬프트 생성하기, 정확한 응답을 생성하는지 확인하는 프롬프트 검증하기, 사용자의 피드백에 기반한 프롬프트 개선하기와 같은 일을 포함합니다. 프롬프트 엔지니어는 자연어 처리(NLP), 언어학 및 머신러닝을 잘 알고 있어야 합니다. 또한 명확하고 간결하며 매력적인 프롬프트를 생성할 수 있는 탁월한 글쓰기 및 의사소통 기술이 필요합니다. 고품질 프롬프트를 생성하기 위해 데이터 과학자 및 개발자와 긴밀히 협력해야 합니다.

토큰

사용자는 프롬프트에 '1000자로 요약해 줘' 등으로 요구하기도 합니다. 그러나 프롬프트는 '5단락으로 요약해 줘' 등으로 요구하는 것이 더 타당합니다. 프롬프트는 한글보다는 영어로 질문하면 더 자세하고 더 길게 답변하는 것을 확인할 수 있습니다. 이는 토큰으로 구분하기 때문입니다. 공백 및 기타 정보도 토큰에 포함될 수 있으므로 토큰이 반드시 전체 단어로 구성되는 것은 아닙니다. 토큰을 "단어 조각"으로 생각하면 될 것입니다. 영어는 다른 많은 언어보다 더 간결하므로 일반적으로 프롬프트를 처리하는 데 필요한 토큰이 더 적습니다. 다음은 영어로 토큰 측정에 대해 생각하는 몇 가지 방법입니다.

토큰 1개는 약 4자에 해당합니다. 100개의 토큰은 약 75개의 단어로 해석됩니다. 두 문장은 약 30개의 토큰과 같습니다. 일반적인 단락은 약 100개의 토큰입니다. 1500 단어로 된 기사는 총 2048개의 토큰에 해당합니다. 토큰은 비용 계산과 Chat GPT의 입력 및 출력 제한에도 사용됩니다. AI 모델에 따라 입력부터 출력까지의 전체 대화(채팅)는 4097개 토큰으로 제한됩니다. 따라서 프롬프트가 매우 길면(예: 4000개 토큰) 응답은 문장 중간이라도 97개 토큰에서 잘립니다.

프롬프트의 토큰 수의 차이를 알기 위해 OpenAI의 Tokenizer 도구

(https://platform.openai.com/tokenizer)에서 확인하였습니다. 예를 들어 '대형 언어 모델인 생성형 AI 플랫폼'라고 한글로 요구했을 때 토큰 수는 22, 문자는 20개로 구분합니다. 반면, 'Generative AI Platform, a large language model'이라고 영어로 요구했을 때 토큰 수는 9, 문자는 46개로 구분합니다. 결국 영어로 요구했을 때 토큰 수가 작기 때문에 더 많은 내용으로 응답하게 됩니다.

토큰 제한은 가격 책정 모델과 같은 임의적인 것이 아니라 현재의 기술 제한을 기반으로 하기 때문에 시간이 지남에 따라 변경될 수 있습니다. 토큰 제한 내에서 채팅을 최대한 활용하려면 입력 및 출력을 Chat-GPT 프롬프트 표시줄에 입력하기 전에 압축하세요. 프롬프트를 직접 압축하려면 다른 곳에 적어두고 프롬프트 표시줄에 입력하기 전에 편집하세요. 목표는 최대한 간결하게 만드는 것입니다. 사용자의 두뇌 능력에는 토큰 비용이 들지 않기 때문에 이것이 더 나은 길입니다.

Chat GPT에 프롬프트를 요약/설명하도록 요청할 수도 있습니다. 나는 긴 글을 읽는 게 힘들어서 좀 더 짧게 설명해줘. 또는 내가 잘 이해할 수 있게 예를 들어서 설명해줘라고 할 수 있습니다. 더 나아가 Chat GPT에 해당 부분을 따옴표로 압축하도록 지시하는 문자와 함께 따옴표 안에 프롬프트를 입력하기만 하면 됩니다. Chat GPT가 요약 프롬프트로 응답한 후 새 채팅에 입력하고 응답을 기다립니다. Chat GPT에 응답을 요약하거나 요약하도록 요청할 수도 있습니다. 응축 응답은 대부분의 콘텐츠를 유지하면서 원본보다 더 단단하고 짧은 형식으로 편집하는 것을 의미합니다. 요약 응답은 Chat GPT가 하이라이트만 전달한다는 의미입니다. 이렇게 하면 저장 공간이 확보되어 채팅 기록에 더 많은 채팅을 보관할 수 있습니다.

생성형 AI 플랫폼

Chat GPT는 언어모델을 최초로 서비스한 플랫폼이지만 유일한 언어모델의 플랫폼은 아닙니다. Chat GPT에는 여러 경쟁자가 있습니다. AI 세계의 무서운 개발 속도를 고려할 때 그들 중 하나가 갑자기 Chat GPT를 추월할 수 있다는 것은 상상할 수 없는 일은 아닐 수 있습니다. Chat GPT가 원하는 결과를 제공하지 않거나 단순히 다양한 AI 서비스를 비교하는 방법을 확인하려는 경우 다양한 플랫폼을 사용해 볼 가치가 있습니다.

빙(bing) 및 코파일럿(Copilot)

https://www.bing.com/

Bing은 마이크로소프트(Microsoft)사가 개발한 AI입니다. Bing은 사용자의 검색어에 기반하여 웹 페이지, 이미지, 동영상, 뉴스, 비즈니스 정보 등의 검색 결과를 제공하며 사용자에게 관련 검색어나 관련 이미지 등을 추천해주는 기능도 있습니다.

Bing AI 바로가기

Bing AI는 bing에서 제공하는 ai 검색 엔진입니다.

문장의 길이와 상관없이 질문을 하면 답변을 얻을 수 있으며, 질문은 구체적이지 않고 모호하더라도 상관없습니다.

아래 버튼을 통해 Bing AI에 바로 접속해보세요.

Bing AI 바로가기

Microsoft의 Copilot은 둘 다 OpenAl의 동일한 AI 기술을 기반으로 하기 때문에 Chat GPT의 형제에 가깝습니다. 위 웹사이트에서 무료로 사용할 수 있습니다. 이는 Al 챗봇이 작업을 빠르게 수행하기를 원하거나 Chat GPT의 한계에 도달한 경우에 이상적입니다. Microsoft의 Copilot에는 특정 작업 전용 GPT도 있습니다. 예를 들어, 휴가 계획, 요리, 피트니스 훈련에 대한 GPT가 있습니다. Chat GPT 가입비를 지불하지 않으면 얻을 수 없는 기능인 Designer GPT를 사용하여 이미지를 생성할 수도 있습니다.

제미나이(Gemini)
https://gemini.google.com

바드(Bard)는 대화형챗봇에 중점을 두고 있으며 제미나이는 여러가지 데이터를 처리하는 데 중점을 두고 개발되었으며 나노/프로/울트라 버전이 있습니다. 바드는 이후 구글의 초기 노력에 비해 훨씬 향상된 제미나이로 통일, 대체되었습니다.

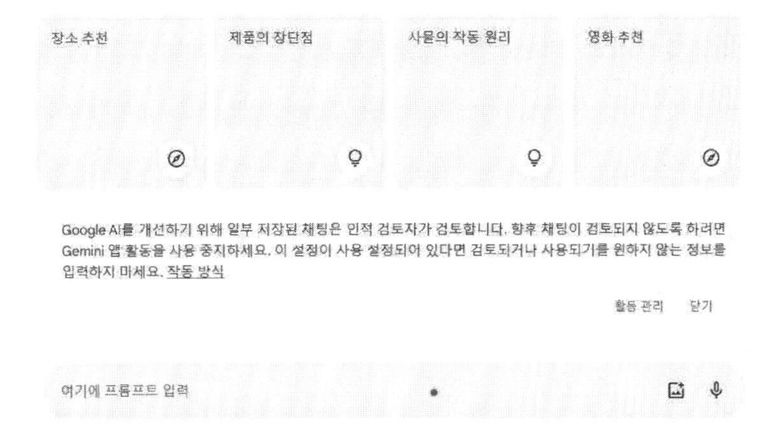

제미나이는 다양한 쿼리를 처리할 수 있으며, 답변이 확실하지 않은 경우 모든 응답 아래에 G 아이콘이 있어 AI에게 구글 검색 엔진에서 답변을 확인하도록 요청할 수 있습니다. 온라인 검색으로 뒷받침된 내용은 녹색으로 강조 표시되고, 분홍색으로 표시된 내용은 검색 결과와 반대되는 정보가 공개된 내용을 나타냅니다.

클로드(Claude)

https://claude.ai

앤스로픽(Anthropic) 클로드(Claude)는 Chat GPT의 정교한 라이벌 중 하나로 간주됩니다. 무료 계정 보유자라도 AI가 서비스에 업로드된 긴 문서를 요약하도록 하거나, 모방하려는 사이트 설계 이미지를 추가하여 웹사이트 코드를 생성하는 등의 작업을 수행할 수 있습니다.

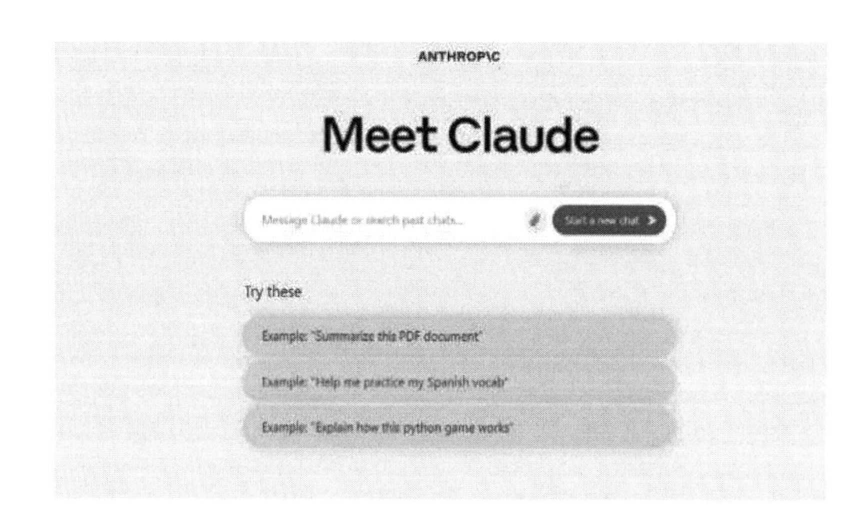

Claude는 무료 계정에 대해 상당히 엄격한 사용 제한을 가지고 있습니다.

이를 통해 Chat GPT Plus 구독과 마찬가지로 사용 제한이 늘어나고 Anthropic의 최신 Al 모델에 대한 액세스가 제공됩니다.

퍼플렉시티(Perplexity)

https://Perplexity.ai

퍼플렉시티(Perplexity)는 생성형 AI를 활용하여 검색에 집중하고 있습니다. 사용자의 질문에 답변할 때 작동하는 모습을 보여줍니다. 답변을 얻기 전에도 쿼리에 대한 "포커스"를 선택할 수 있습니다. 이는 기본적으로 정보를 검색하는 데 사용할 소스를 선택할 수 있음을 의미합니다.

질문을 하면 답변을 찾는 데 사용된 출처가 응답 상단에 나열되므로 해당 정보가 어디서 왔는지 표시해 줍니다. 예를 들어, "NASA가 Elon Musk와 협력합니까?"라고 물었을 때 가장 먼저 언급된 출처는 BBC News 보고서였으며 이는 AI가 이 사실을 지어낸 것이 아니라는 확신을 심어주었습니다.

클로바X

https://clova-x.naver.com/

네이버에서 대형 언어 모델(LLM)을 활용하여 만든 한국형 대화형 인공지능 서비스입니다. 2023년년 8월 24일에 한국을 대상으로, 한국어 버전으로 출시되었습니다. 2023년년 9월 20일에는 네이버에서 자체 언어모델 하이퍼클로바X의 검색 특화 모델을 기반으로 하는 인공지능 검색 엔진 서비스 큐(Que):가 네이버 검색엔진에 출시되기도 하였습니다.

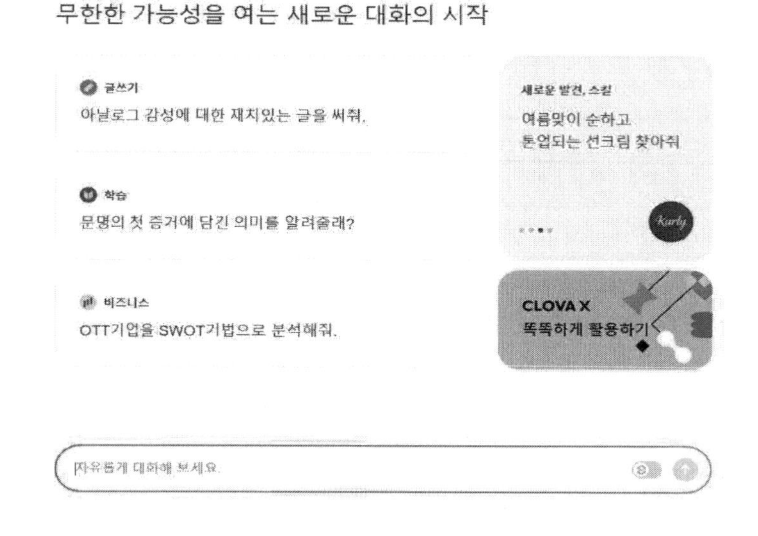

대화형 인공지능 서비스도 제공하며, 창작과 요약을 비롯한 뛰어난 글쓰기 능력을 보여줍니다. 나아가 네이버의 광대한 한국어 자료 축적을 통해, 자연스러운 사용이 가능합니다. 이야기 창작, 이야기 설정 창작 어시스턴트, 각종 창의성이 필요한 문구 및 문서 작성(광고 문구, 리뷰, 자기소개서 등), 기업용 챗봇 빌더, 각종 코딩, 기타 검색, 웹서핑 기능 등이 가능합니다.

뤼튼

https://wrtn.ai

한국 뤼튼테크놀로지스에서 서비스하는 대화형 인공지능입니다. GPT-4 등과 같은 다양한 생성형 AI를 한자리에서 무료로 사용할 수 있는 서비스입니다. Chat GPT와 같이 대화를 통해 결과물을 생성해내는 형태이지만 뤼튼은 보다 광범위한 콘텐츠 생성을 위해 데이터 소스에 대한 추가적인 전처리와 모델 구조의 특화가 이뤄졌습니다. 대화뿐만 아니라 문서 요약, 소스 코드 작성, 이미지 생성, 기사 작성 등의 작업도 수행할 수 있는 문자 생성 도구에 초점을 맞추어 개발되었습니다.

뤼튼의 특징은 한국어 데이터를 기반으로 학습한 생성 AI이며 다양한 AI 모델을 쉽게 사용할 수 있습니다. Chat GPT-3.5, Chat GPT-4, Chat GPT-터보, 네이버의 클로바 X 등의 생성 AI를 사용 가능합니다. 구글의 이메일 계정뿐만 아니라 네이버, 카카오 아이디로 연동이 가능합니다.

프롬프트 원리 및 24가지 사용 방법

"우리의 목표는 현재 GPT 시리즈의 기술을 고도화하고 더 안정적이고 견고하며 더 나은 추론을 할 수 있는 멀티모달을 만드는 것이고, 다른 목표는 AI 활용이 본격화된 이 시기에 모두가 진정으로 AGI 라고 부를 수 있는 것에 이르기까지 남은 연구를 알아내는 것이다". - 샘 올트먼 오픈AI 전 CEO

· 프롬프트 설계 원리

- 간결성과 명확성
- 맥락 관련성
- 예시 시연
- 작업 정렬
- 점증적 프롬프트
- 편향 방지
- 고급 프롬프트

· 프롬프트 24가지 사용 방법

- 간결한 답변을 선호하는 방법
- 긍정적인 프롬프트를 사용하는 방법
- 대형 언어 모델에 역할을 할당하는 방법
- 명확하게 설명하거나 더 깊이 이해하는 방법
- 생각의 사슬(Cot)과 단답형 프롬프트를 결합하는 방법
- 스타일을 변경하지 않고 특정 문자를 수정/변경하는 방법

- 에세이/문자/단락/기사 또는 상세하게 작성하는 방법
- 예상되는 응답의 시작으로 프롬프트를 끝내는 출력 프라이머를 활용하는 방법
- 예시 중심의 프롬프트를 구현하는 방법
- 인간의 감성과 이해를 반영한 답변을 요구하는 방법
- 정확한 세부 사항과 요구 사항을 이끌어 내는 방법
- 제공된 예시와 유사한 글을 작성하는 방법
- 추론 과정을 전개하는 방법
- 콘텐츠를 생성할 때 모델이 준수하는 방법
- 특정 단어나 구, 문장을 사용하는 방법
- 특정 주제나 아이디어 또는 정보에 대해 문의하고 이해도를 테스트하는 방법
- 프로그래밍 언어 스크립트를 생성하는 방법
- 프롬프트 내에서 특정 단어나 구를 반복하는 방법
- 프롬프트 문구를 통합하는 방법
- 프롬프트를 세분화하는 방법
- 프롬프트에 대상 고객을 통합하는 방법
- 프롬프트에 선행어를 요구하는 방법
- 프롬프트에 주의사항을 요구하는 방법
- 프롬프트의 형식을 지정하는 방법

프롬프트 설계 원리

좋은 질문은 사려 깊은 생각을 하게 하고, 탐구와 토론을 장려하며, 잠재적으로 새로운 통찰력이나 이해로 이어지는 질문입니다. 좋은 질문은 어떤 주제에 관한 가정에 도전하거나, 시야를 넓히거나, 복잡한 문제를 탐구할 수 있습니다. 질문은 '알고자 하는 바를 얻기 위해 묻는 것'입니다. 질문은 사용자가 사고력 및 이해력을 증진시킵니다. 대형 언어 모델에서 고품질 응답을 도출하기 위한 프롬프트와 지침을 공식화하기 위한 여러 가지 지침 원칙이 확립되고 연구가 계속 진행되고 있습니다(Sondos Mahmoud Bsharat, Aidar Myrzakhan, Zhiqiang Shen, 2024).

간결성과 명확성

일반적으로 지나치게 장황하거나 모호한 프롬프트는 모델을 혼란스럽게 하거나 관련 없는 응답으로 이어질 수 있습니다. 따라서 프롬프트는 모델을 안내할 만큼 구체적이면서도 작업에 도움이 되지 않는 불필요한 정보를 피하면서 간결해야 합니다. 이는 프롬프트 엔지니어링을 위한 기본 지침입니다.

프롬프트 설계의 "간결함과 명확성" 원칙은 명확하고 간단하며 이해하기 쉬운 프롬프트를 만드는 것의 중요성을 강조합니다. 이 원칙은 모호성을 최소화하고 개인이나 AI 모델이 제시된 작업이나 질문을 혼동 없이 빠르게 파악할 수 있도록 하는 것을 목표로 합니다.

간결함은 불필요한 복잡성을 피하는 일반 언어를 사용하여 간단한 방식으로 프롬프트를 표시합니다. 구체성은 정확한 지침이나 지침을 통해 작업이나 질문을 명확하게 정의합니다. 투명성은 프롬프트 뒤의 의도와 기대가 사용자에게 분명하도록 보장합니다. 접근성은 다양한 수준의 전문 지식이나 배경 지식을 가진 사람들을 포함하여 광범위한 청중이 메시지를 이해할 수 있도록 합니다.

프롬프트 : 10대의 정신 건강에 소셜 미디어가 미치는 영향에 대해 토론합니다.

이 프롬프트는 10대 정신 건강에 대한 소셜 미디어의 영향이라는 초점을 맞춘 주제를 직접적으로 제시함으로써 '간결함과 명확성'을 보여줍니다. 이는 범위(정신 건강에 미치는 영향), 대상 인구통계(10대) 및 맥락(소셜 미디어)을 지정합니다. 사용자 또는 AI 모델은 소셜 미디어가 청소년의 정신 건강에 어떤 영향을 미치는지 분석하고 토론하는 작업에 대해 즉시 명확하게 알 수 있습니다.

이처럼 "간결함과 명확성"의 원칙은 프롬프트가 효과적으로 전달되고 쉽게 이해되도록 보장하여 정확한 응답을 촉진하고 오해를 줄입니다. 이러한 접근 방식은 교육 평가, 연구 조사 또는 AI 기반 애플리케이션을 위한 프롬프트를 설계할 때 의사소통의 명확성과 생성된 응답의 품질을 향상시키기 때문에 중요합니다.

맥락 관련성

프롬프트는 모델이 작업의 배경과 영역을 이해하는 데 도움이 되는 관련 맥락을 제공해야 합니다. 키워드, 도메인별 용어 또는 상황 설명을 포함하면 모델의 응답을 올바른 맥락에 고정할 수 있습니다. 프롬프트 설계의 맥락적 관련성은 프롬프트에 응답하는 개인이나 시스템의 지식, 경험, 기대에 맞춰 프롬프트의 내용과 맥락을 조정하는 것의 중요성을 강조합니다. 이 원칙은 프롬프트가 특정 맥락이나 영역 내에서 의미 있고, 적용 가능하며, 참여하도록 보장하여 생성된 응답의 품질과 관련성을 향상시킵니다.

상황적 관련성은 프롬프트가 사용될 환경, 상황 또는 영역에 대한 깊은 이해에서 시작됩니다. 여기에는 대상 청중의 배경 지식, 기술 및 관점을 고려하는 것이 포함됩니다. 예를 들어, 생물학을 공부하는 고등학생을 위해 고안된 프롬프트는 해당 학생의 커리큘럼 주제 및 교육 수준과 일치한다면 상황적으로 관련성이 있을 것입니다.

프롬프트는 사용되는 특정 상황에 맞게 조정되어야 합니다. 여기에는 대상 고객에게 친숙하고 적절한 언어, 용어 및 예를 사용하는 것이 포함됩니다. 예를 들어, 의료 전문가를 위한 의료 진단 프롬프트는 현재 의료 관행과 일치하는 관련 증상, 진단 기준 및 치료 옵션을 포함하는 경우 상황적으로 관련성이 있을 것입니다.

프롬프트는 이론적 개념을 실제 적용과 연결할 때 중요성을 얻습니다. 예를 들어 엔지니어에게 지속 가능한 건물을 설계하도록 요청하는 메시지에는 예산, 환경 영향, 건축 법규와 같은 실제 제약 조건이 포함되어야 하며 건축 및 건설 분야와 맥락적으로 관련이 있어야 합니다.

효과적인 프롬프트는 다양한 상황과 청중에 적응할 수 있어야 합니다. 이를 위해서는 지식, 문화적 배경, 학습 스타일의 변화를 수용하면서 프롬프트를 구성하고 제시하는 방식에 유연성이 필요합니다. 문화 다양성에 대한 교육적 프롬프트는 다양한 지역이나 공동체의 다양한 관점과 경험을 다루기 위해 조정될 수 있습니다.

프롬프트 : 특정 동식물의 적응을 고려하여 기후 변화가 지역 생태계에 미치는 영향을 분석합니다.

이 프롬프트는 사용자가 거주하는 지역의 지리 및 환경 문제에 맞춰 상황적 관련성을 보여줍니다. 이는 사용자들이 기후 변화 및 생태 원리에 대한 지식을 적용하여 자신의 지역 사회에 미치는 실제 영향을 분석하고 더 깊은 이해와 참여를 촉진하도록 권장합니다.

프롬프트 : Z세대 소비자를 대상으로 하는 스타트업의 디지털 마케팅 전략의 효율성을 평가합니다.

이 메시지는 특정 인구통계(Z세대)에 맞춘 디지털 마케팅 전략에 초점을 맞춤으로써 비즈니스 맥락 내에서 맥락상 관련이 있습니다. 현재 트렌드, 소셜 미디어 플랫폼, 젊은층의 소비자 행동에 대한 분석이 필요하며 실용적인 정보를 제공합니다.

프롬프트 : 사회 경제적 요인과 삶의 질 지표를 고려하여 만성 질환이 있는 노인을 위한 환자 중심의 치료 계획을 개발합니다.

이 의료 프롬프트는 환자 중심 치료 원칙과 사회 경제적 고려 사항을 통합하여 상황적 관련성을 보여줍니다. 이를 위해서는 의료 전문가가 개인의 필요와 외부 요인에 따라 접근 방식을 맞춤화하여 실제 의료 관행에 부합하는 전체적이고 개인화된 치료 계획을 보장해야 합니다.

예시 시연

보다 복잡한 작업의 경우 프롬프트 내의 예시를 포함하여 원하는 형식이나 응답 유형을 시연할 수 있습니다. 여기에는 특히 "퓨샷(few-shot)" 또는 "제로샷(zero-shot)" 학습 시나리오에서 입력-출력 쌍을 표시하는 작업이 포함됩니다. 프롬프트 설계의 예시 시연은 개인이나 시스템이 제시된 작업이나 질문에 접근하고 수행하는 방법을 이해하도록 안내하기 위해 명확하고 예시적인 예를 제공하는 것의 중요성을 강조합니다. 이 원칙은 구체적인 예를 사용하여 기대치를 명확히 하고, 지식이나 기술의 적용을 보여주며, 복잡한 개념이나 작업에 대한 이해를 높이는 데 중점을 둡니다.

예시 시연은 구체적인 예시를 통해 명확한 기대치를 설정하는 것부터 시작됩니다. 성공적인 대응이나 솔루션이 어떤 모습이어야 하는지 보여주는 모델이나 프로토타입을 제공합니다. 예를 들어, 학술 작문 프롬프트에서 효과적인 구조, 논증 및 증거 사용을 보여주는 예시로 에세이를 제공하면 사용자들이 자신의 작문에서 예상되는 품질과 형식을 이해하는 데 도움이 됩니다.

예시 시연이 포함된 프롬프트는 이론적 지식이나 학습된 기술이 실제로 어떻게 적용될 수 있는지 보여줍니다. 여기에는 지식이나 기술이 실행되는 실제 시나리오나 작업을 보여주는 것이 포함됩니다. 예를 들어, 프로그래밍 프롬프트에서 유사한 문제를 해결하는 샘플 코드를 제공하면 현재 작업에 적용할 수 있는 코딩 기술과 논리를 보여줍니다.

효과적인 프롬프트는 예시 시연을 사용하여 복잡한 개념이나 프로세스에 대한 이해를 향상시킵니다. 여기에는 각 단계를 설명하는 명확한 예를 통해 복잡한 작업이나 이론을 관리 가능한 단계로 나누는 것이 포함됩니다. 예를 들어, 발사체 운동에 관한 물리학 프롬프트에서 시각적 다이어그램과 수치적 예를 제공하면 사용자들이 그러한 문제를 해결하는 데 필요한 계산과 원리를 파악하는 데 도움이 될 수 있습니다.

예시 시연이 포함된 프롬프트는 혁신적인 솔루션이나 접근 방식을 제시함으로써 창의성과 비판적 사고를 장려합니다. 이는 개인이 자신만의 고유한 반응을 생성하기 위해 적응하거나 구축할 수 있는 다양한 관점과 전략을 보여줍니다. 예를 들어, 설계 챌린지 프롬프트에서 혁신적인 제품 설계의 예를 제시하면 참가자들이 새로운 아이디어와 솔루션을 탐색하도록 영감을 줄 수 있습니다.

프롬프트 : 농업에서 유전자 변형 유기체(GMO) 사용을 찬성하거나 반대하는 설득력 있는 에세이를 작성하세요. 효과적인 논증 구조와 증거 활용을 이해하려면 제공된 샘플 에세이를 참조하세요.

이 프롬프트는 효과적인 논증 기술을 보여주는 샘플 에세이를 제공하여 예시 시연을 사용합니다. 사용자들은 이러한 예를 분석하여 설득력 있는 주장을 구성하고, 뒷받침하는 증거를 사용하고, 아이디어를 효과적으로 구성하는 방법을 이해할 수 있습니다.

프롬프트 : 당뇨병 관리에 대한 환자 교육 팜플렛을 설계하십시오. 효과적인 건강 커뮤니케이션 전략과 정보 제공을 이해하기 위해 제공된 샘플 팜플렛을 검토하십시오.

이 프롬프트는 샘플 환자 교육 팜플렛을 통해 예시 시연을 활용합니다. 디자이너는 당뇨병 관리에 대해 환자를 교육하기 위한 효과적인 건강 커뮤니케이션 전략, 시각적 레이아웃 및 정보 구성에 대해 알아보기 위해 이러한 예를 연구할 수 있습니다.

작업 정렬

프롬프트는 모델에 작업의 성격을 명확하게 나타내는 언어와 구조를 사용하여 현재 작업과 밀접하게 정렬되어야 합니다. 여기에는 작업의 예상 입력 및 출력 형식에 맞는 질문, 명령 또는 빈칸 채우기 명령문으로 프롬프트를 표현하는 것이 포함될 수 있습니다. 프롬프트 설계의 작업 정렬은 제시된 작업이나 질문이 학습 목표, 목표 또는 평가나 활동의 원하는 결과와 명확하게 일치하는지 확인하는 것을 의미합니다. 이 원칙은 개인이나 시스템이 의도한 작업이나 목표를 효과적으로 달성하도록 안내하는 프롬프트를 작성하는 데 있어 명확성, 구체성 및 관련성의 중요성을 강조합니다.

작업 정렬은 프롬프트 내에서 명확하고 모호하지 않은 지침을 제공하는 것으로 시작됩니다. 여기에는 오해의 여지가 없도록 작업이나 질문을 정의하는 것이 포함됩니다. 예를 들어, 제1차 세계 대전의 원인을 분석하라"는 프롬프트는 전쟁을 초래한 요인을 식별하고 설명하는 작업의 개요를 명확하게 설명하며 예상되는 내용에 대해 모호함을 남기지 않습니다.

프롬프트는 달성하고자 하는 목적이나 목표에 대해 구체적이어야 합니다. 여기에는 개인이 보여줄 것으로 기대되는 지식이나 기술의 특정 측면에 초점을 맞춰 작업의 목적과 범위를 명확하게 명시하는 것이 포함됩니다. 예를 들어, 의료 전문가에게 "당뇨병 관리를 위한 환자 치료 계획 설계"를 요청하는 메시지는 맞춤형 치료 전략을 만들기 위해 임상 지식을 적용하려는 목적을 명시합니다.

효과적인 프롬프트는 의도한 학습 결과 또는 교육 목표와 직접적으로 연결됩니다. 이는 할당된 작업이 교육 또는 평가 프로세스의 전반적인 목표에 의미 있게 기여하도록 보장합니다. 예를 들어, 물리학 시험에서 사용자들에게 "두 물체 사이의 중력을 계산하라"는 질문은 중력 원리를 이해하고 수학 공식을 적용하는 학습 결과와 직접적으로 일치합니다.

프롬프트는 실제 시나리오나 전문 실무 또는 일상적인 상황과 관련된 작업을 시뮬레이션할 때 중요해집니다. 이를 통해 작업의 실용성과 적용 가능성이 향상되고 개인이 자신의 지식과 기술을 실제 상황에 적용할 수 있도록 준비됩니다. 예를 들어, 엔지니어에게 "지정된 예산 제약 내에서 지속 가능한 교량 구조를 설계"하도록 요청하는 것은 실제 엔지니어링 과제에 부합하며 전문가가 해당 분야의 실제 문제를 해결할 수 있도록 준비시킵니다.

프롬프트: GDP 성장과 실업률에 미치는 영향에 초점을 맞춰 두 국가의 경제 정책을 비교하고 대조해 보세요.

이 프롬프트는 경제 정책을 비교하고 대조하는 작업을 명확하게 정의하여 작업 정렬을 보여줍니다. 이는 초점 영역(GDP 성장 및 실업률)을 지정하고 글로벌 맥락에서 경제 원리 및 정책 분석을 이해하는 학습 목표에 부합합니다.

프롬프트 : 문화적 차이와 소비자 행동 경향을 고려하여 국제 시장에서 신제품 출시를 위한 전략적 마케팅 계획을 개발합니다.

이 비즈니스 프롬프트는 전략적 마케팅 계획의 목표에 맞춰 작업을 조정합니다. 국제 마케팅 전략 및 시장 분석과 관련된 학습 결과에 맞춰 문화적 요인과 소비자 행동을 고려해야 합니다.

점증적 프롬프트

일련의 단계가 필요한 작업의 경우 프로세스를 통해 모델을 점증적으로 안내하도록 프롬프트를 구성할 수 있습니다. 작업을 서로를 기반으로 하는 일련의 프롬프트로 나누어 모델을 단계별로 안내합니다. 또한 프롬프트는 모델의 성능과 반복적인 피드백을 기반으로 조정 가능해야 합니다. 즉, 초기 출력 및 모델 동작을 기반으로 프롬프트를 개선할 수 있도록 잘 준비되어야 합니다.

프롬프트 설계의 점증적 프롬프트는 복잡한 작업이나 질문을 더 작고 관리하기 쉬운 부분으로 나누는 전략을 의미합니다. 이 접근 방식은 개인이나 시스템이 점차적으로 이해를 구축하고, 단계별로 문제를 해결하고, 궁극적으로 원하는 결과나 솔루션을 달성하는 데 도움이 됩니다. 점진적 프롬프트의 원리는 작업 전반에 걸쳐 구조화된 지침과 지원을 제공함으로써 발판 학습과 문제 해결 프로세스를 강조합니다.

점증적 프롬프트는 작업이나 질문을 통해 개인을 이끄는 명확하고 순차적인 단계 또는 단계를 제공하는 것으로 시작됩니다. 각 단계는 이전 단계를 기반으로 하여 학습자를 더 단순한 개념에서 더 복잡한 개념으로 안내합니다. 예를 들어, 대수 방정식 풀이에 대한 수학 프롬프트에서 점증적 프롬프트는 방정식 풀이 과정을 변수 식별, 용어 단순화, 미지의 문제 해결과 같은 단계로 나누는 것을 포함합니다.

점증적 프롬프트를 사용하는 프롬프트는 개인이 프롬프트를 진행함에 따라 작업이나 질문의 복잡성을 점차 증가시킵니다. 이 접근 방식을 통해 학습자는 더 어려운 측면을 다루기 전에 기초 기술을 개발할 수 있습니다. 예를 들어, 프로그래밍 프롬프트에서 학습자는 고급 알고리즘이나 소프트웨어 개발 작업으로 넘어가기 전에 기본 구문 및 논리 연습부터 시작할 수 있습니다.

점진적 프롬프트를 통한 효과적인 프롬프트에는 작업의 각 단계에서 피드백과 성찰의 기회가 포함됩니다. 이를 통해 개인은 진행 상황을 검토하고, 개선이 필요한 영역을 식별하고, 필요에 따라 접근 방식을 조정할 수 있습니다. 피드백은 학습 상황에 따라 자기 평가 질문, 동료 검토, 강사 피드백 등 다양한 형태로 제공될 수 있습니다.

점증적 프롬프트는 개인이 작업에 접근하고 완료하는 방법에 유연성을 제공함으로써 다양한 학습 요구를 수용합니다. 이는 학습자의 발전 속도가 다르거나 다양한 수준의 지원이 필요할 수 있음을 인식합니다. 예를 들어, 에세이 작성에 대한 교육 프롬프트에서는 추가 도전이나 지원이 필요한 학습자를 위한 선택적 확장이나 추가 리소스가 포함될 수 있습니다.

프롬프트: 기후 변화의 원인과 영향에 관한 연구 논문을 작성하세요. 먼저 기후 변화에 기여하는 주요 요인을 개괄적으로 설명하고, 생태계와 인간 건강에 미치는 영향을 분석합니다. 기후 변화 영향을 완화하기 위해 제안된 솔루션으로 마무리합니다.

이 프롬프트는 연구 논문 작업을 기후 변화의 원인 개요, 영향 분석, 해결책 제안 등 순차적인 단계로 나누어 점진적 프롬프트를 사용합니다. 각 단계는 이전 지식과 연구를 바탕으로 사용자들에게 종합적인 논문을 완성하기 위한 구조화된 접근 방식을 안내합니다.

프롬프트 : 만성 통증 관리를 위한 환자 치료 계획을 세우십시오. 환자의 병력과 현재 증상을 평가하는 것부터 시작하십시오. 통증 관리를 위한 중재를 개발하고 결과를 모니터링합니다. 케어 계획의 효율성을 검토하고 필요한 경우 조정을 제안합니다.

이 프롬프트는 환자 치료 계획 개발 과정을 통해 의료 전문가를 안내함으로써 점진적인 프롬프트를 활용합니다. 평가로 시작하여 개입 계획으로 진행되며 평가와 성찰로 마무리됩니다. 이 구조화된 접근 방식은 포괄적이고 효과적인 만성 통증 관리를 지원합니다.

편향 방지

훈련 데이터로 인해 모델에 내재된 편향의 활성화를 최소화하도록 프롬프트를 설계해야 합니다. 중립적인 언어를 사용하고 특히 민감한 주제에 대해서는 윤리적 영향에 유의해야 합니다. 프롬프트 설계에서 편향을 방지하는 것은 개인이나 AI 시스템에 제시되는 작업이나 질문의 공정성, 포괄성, 정확성을 보장하는 데 중요합니다. 이 원칙은 반응이나 결과에 부정적인 영향을 미칠 수 있는 모든 형태의 편견, 고정관념 또는 편애를 제거하는 데 중점을 둡니다. 신속한 설계의 편견을 해결함으로써 우리는 형평성과 객관성을 촉진하고 다양한 관점이 존중되고 가치 있게 여겨지는 환경을 조성합니다.

편견을 피하는 것은 인종, 성별, 민족, 종교 또는 기타 특성에 기반한 고정관념이나 편견을 영속시키는 언어, 사례 또는 시나리오를 사용하지 않는 것에서 시작됩니다. 프롬프트는 중립적이고 포괄적이어야 하며, 의도치 않게 부정적인 고정관념을 강화하지 않도록 해야 합니다. 예를 들어, 리더십 자질에 대해 질문할 때 리더십 특성이 본질적으로 특정 성별이나 문화적 배경과 연관되어 있다고 가정하는 것은 피해야 합니다.

의도하지 않은 공격이나 배제를 피하기 위해 메시지는 문화적 다양성과 민감성을 고려해야 합니다. 여기에는 다양한 문화적 관점과 경험에 공감하는 포괄적인 언어와 사례를 사용하는 것이 포함됩니다. 예를 들어, 가족 역학에 대해 즉각적으로 논의하려면 가족 구조 및 관계에 관한 다양한 문화적 규범과 가치를 인정해야 합니다.

편견을 피하면 배경이나 신원에 관계없이 모든 개인이 프롬프트에 접근하고 공정하게 접근할 수 있도록 하여 형평성을 높일 수 있습니다. 여기에는 특정 그룹을 다른 그룹보다 선호하지 않고 참여 및 평가에 대한 동등한 기회를 제공하는 것이 포함됩니다. 예를 들어, 교육 환경에서는 사용자들이 자신의 지식과 기술을 보여줄 공평한 기회를 가질 수 있도록 다양한 학습 스타일과 능력을 수용해야 합니다.

효과적인 프롬프트는 편견이 없고 포용성을 촉진하는 언어와 예를 사용합니다. 여기에는 성별에 따른 대명사 또는 역할과 능력에 대한 가정을 피하는 것이 포함됩니다. 예를 들어, STEM 분야의 프롬프트에서는 성별 고정관념이 강화되는 것을 피하기 위해 과학자, 엔지니어, 연구원을 언급할 때 성별 중립적인 언어를 사용해야 합니다.

프롬프트: 세계 정치에 큰 영향을 미친 역사적 사건을 설명하세요. 관련된 여러 국가의 관점과 행동을 논의할 때 문화적 우월성에 대한 편향된 언어나 가정을 피하십시오.

이 프롬프트는 사용자들이 특정 문화나 국가에 대한 편견 없이 역사적 사건을 객관적으로 분석하도록 권장합니다. 이는 다양한 관점과 역사적 맥락을 정중하게 제시하고 비판적 사고와 문화적 인식을 촉진하는 것의 중요성을 강조합니다.

프롬프트: 다양한 고객 기반을 대상으로 하는 신제품 출시를 위한 마케팅 전략을 개발합니다. 홍보 자료와 메시지가 문화적으로 민감하고 고정관념이 없는지 확인하세요.

이 프롬프트는 고정관념이나 문화적 편견에 의존하지 않고 다양한 청중의 관심을 끌 수 있는 마케팅 전략 수립을 강조합니다. 이는 마케팅 담당자가 판촉 캠페인을 설계할 때 문화적 뉘앙스와 선호도를 고려하고 포용성을 조성하며 다양한 소비자 관점을 존중하도록 권장합니다.

고급 프롬프트

고급 프롬프트에는 프로그래밍과 유사한 논리가 통합되어 복잡한 작업을 수행할 수 있습니다. 예를 들어 모델의 추론 프로세스를 안내하기 위해 프롬프트 내의 조건문, 논리 연산자 또는 의사 코드를 사용합니다. 프롬프트 설계은 특히 LLM이 더욱 정교해짐에 따라 진화하는 분야입니다. 프로그래밍과 같은 논리를 통합한 고급 프롬프트는 체계적인 추론과 계산 원리를 적용하여 복잡한 작업을 통해 개인이나 AI 시스템을 안내하도록 설계되었습니다. 이러한 프롬프트는 논리적 구조, 알고리즘 및 문제 해결 기술을 활용하여 특정 목표 또는 솔루션을 달성합니다.

프로그래밍이나 엔지니어링과 같은 분야의 고급 프롬프트에는 논리적 구조와 알고리즘의 적용이 필요한 경우가 많습니다. 이러한 프레임워크는 원하는 결과로 이어지는 단계의 순서를 정의하여 문제를 해결하기 위한 체계적인 접근 방식을 제공합니다. 예를 들어, 프로그래밍 프롬프트에서 개인은 숫자 목록을 오름차순으로 정렬하기 위해 정렬 알고리즘을 구현하는 임무를 맡을 수 있습니다. 여기에는 알고리즘의 논리를 이해하고, 코드를 사용하여 이를 구현하고, 논리적 추론을 통해 효율성을 테스트하는 작업이 포함됩니다.

논리를 통합한 프롬프트는 논리적 추론에 기초한 문제 해결 기술을 강조합니다. 여기에는 패턴 식별, 가설 수립, 증거나 규칙을 기반으로 한 결론 추론이 포함됩니다. 예를 들어, 수학 프롬프트에서 개인은 대수적 규칙과 논리적 추론을 적용하여 복잡한 방정식을 풀도록 요청받을 수 있습니다. 이 프로세스에는 문제를 분석하고, 관련 공식이나 정리를 적용하고, 솔루션을 향해 논리적으로 단계별로 진행하는 과정이 포함됩니다.

고급 프롬프트는 문제를 더 작고 관리 가능한 부분으로 나누고 논리적 및 알고리즘적 접근 방식을 사용하여 체계적으로 해결하는 컴퓨팅 사고력을 장려하는 경우가 많습니다. 이러한 접근 방식은 개인이 데이터를 분석하고, 알고리즘을 설계하고, 소프트웨어 솔루션을 개발하는 컴퓨터 과학과 같은 분야에서 널리 퍼져 있습니다. 예를 들어 데이터 분석 프롬프트에서 개인은 Python과 같은 프로그래밍 언어를 사용하여 대규모 데이터 세트를 처리하고, 통계 방법을 적용하고, 논리적 분석을 통해 의미 있는 통찰력을 얻을 수 있습니다.

논리와 프로그래밍을 통합하는 프롬프트는 전문적인 실습이나 학문 분야와 관련된 실제 시나리오나 작업을 시뮬레이션하는 경우가 많습니다. 이는 실용적인 기술을 향상시키고 개인이 다양한 상황에서 논리적 사고를 적용할 수 있도록 준비시킵니다. 예를 들어, 사이버 보안 프롬프트에서 개인은 시스템 로그를 분석하고, 잠재적인 공격 벡터를 추적하고, 사이버 위협으로부터 보호하기 위한 논리적 방어를 구현하여 네트워크의 취약성을 식별하는 임무를 맡을 수 있습니다.

프롬프트 : 20번째 항까지 피보나치 수열을 계산하는 Python 프로그램을 작성하세요. 루프 구조를 사용하여 시퀀스의 이전 두 항을 기반으로 각 항을 반복적으로 계산합니다.

이 프롬프트는 개인이 Python의 루프 구조를 사용하여 피보나치 수열의 재귀 정의를 적용하도록 요구함으로써 논리적 사고를 통합합니다. 여기에는 시퀀스의 논리를 이해하고, 반복 계산을 구현하고, 논리적 추론과 테스트를 통해 정확성을 보장하는 작업이 포함됩니다.

루프 구조를 사용하여 20번째 항까지 피보나치 수열을 계산하는 Python 프로그램입니다.

```
# Function to generate Fibonacci sequence up to n terms
def fibonacci(n):
    sequence = []
    a, b = 0, 1
    for _ in range(n):
        sequence.append(a)
        a, b = b, a + b
    return sequence

# Calculate Fibonacci sequence up to 20th term
n_terms = 20
fibonacci_sequence = fibonacci(n_terms)

# Print the Fibonacci sequence
print("Fibonacci sequence up to 20th term:")
for index, value in enumerate(fibonacci_sequence):
```

```
    print(f"Term {index + 1}: {value}")
```

이 프로그램은 생성할 피보나치 수열의 항 수를 나타내는 단일 인수 'n'을 사용하는 함수 'fibonacci'를 정의합니다. 시퀀스의 처음 두 항('a' 및 'b')을 각각 0과 1로 초기화하고 루프를 사용하여 이전 두 항을 합산하여 각 후속 항을 계산합니다. 시퀀스는 루프가 완료된 후 반환되는 sequence라는 목록에 저장됩니다. 마지막으로 프로그램은 20번째 항까지의 수열을 인쇄합니다.

프롬프트: 고객 구매 내역 데이터세트를 분석하여 추세와 패턴을 파악합니다. 논리적 추론과 통계적 방법을 사용하여 제품 카테고리와 고객 인구통계 간의 상관관계를 파악합니다.

이 프롬프트에서는 개인이 논리적 추론과 계산 기술을 적용하여 데이터세트에서 통찰력을 추출해야 합니다. 여기에는 고객 행동에 대한 가설을 수립하고, 회귀 또는 클러스터링과 같은 통계 분석 기술을 적용하고, 결과를 논리적으로 해석하여 소비자 구매 습관의 의미 있는 추세와 패턴을 밝혀내는 작업이 포함됩니다.

프롬프트 24가지 사용 방법

간결한 답변을 선호하는 방법

보다 간결한 답변을 선호하는 경우, LLM에 공손하게 답할 필요가 없으므로 다음과 같은 문구를 추가할 필요가 없습니다. “부탁합니다”, “괜찮으시다면”, “감사합니다”, “그러고 싶습니다” 등의 문구를 추가할 필요 없이 바로 본론으로 들어가세요(Sondos Mahmoud Bsharat, Aidar Myrzakhan, Zhiqiang Shen, 2024)..

"'부탁합니다', '괜찮으시다면', '고마워요', '하고 싶습니다' 등의 문구를 추가할 필요가 없습니다. 바로 요점으로 들어가세요." 설명과 예는 직접적이고 간결해야 하며, 요청이나 지시를 완화하기 위해 자주 사용되는 정중하거나 격식을 갖춘 문구가 없어야 함을 의미합니다. 이 접근 방식은 명확성과 간결성을 강조합니다. 공손한 문구를 제거하면 메시지가 더욱 간단하고 이해하기 쉬워집니다. "괜찮으시면 내일까지 보고서 보내주실 수 있나요?"라고 말하는 대신 당신은 "내일까지 보고서를 보내주세요"라고 말할 것입니다.

불필요한 정중한 문구를 제거하면 특히 명확성과 속도가 중요시되는 전문적 또는 학술적 맥락에서 시간을 절약하고 의사소통을 더욱 효율적으로 만들 수 있습니다. "이 문서를 검토해 주시면 감사하겠습니다." 대신 "이 문서를 검토해 주세요."라고 말합니다.

“부탁드립니다” 또는 “고마워요”와 같은 문구를 피함으로써 메시지 내용에만 초점을 맞추고 주요 사항을 방해 없이 강조할 수 있습니다. "데이터베이스를 업데이트할 수 있습니까?" 대신 "데이터베이스를 업데이트하세요."라고 말하면 됩니다.

"괜찮으시다면 최신 수치를 확인하시고 어떻게 생각하시는지 말씀해 주시겠어요? 감사합니다!" 보다는 "최신 수치를 확인하고 피드백을 제공하세요." 라고 하는 방법이 좋습니다.

"시간이 되실 때 제가 제안한 초안을 검토해 주실 수 있는지 여쭤보고 싶습니다." 보다는 "제안 초안을 검토하세요."라고 하는 방법이 좋습니다. "다음 주에 팀과 회의를 주선해 주실 수 있나요? 정말 감사하겠습니다." 보다는 "다음 주에 팀과 회의를 준비하세요."라고 하는 방법이 좋습니다.

긍정적인 프롬프트를 사용하는 방법

긍정적인 지시를 사용하면 보다 건설적이고 동기를 부여하는 분위기를 조성하는 데 도움이 됩니다. 하지 말아야 할 것보다 해야 할 것에 초점을 맞춰 긍정적인 언어로 지시 사항을 바꾸는 방법은 다음과 같습니다.

개선하기 전의 프롬프트: "금요일까지 보고서를 제출하는 것을 잊지 마세요."
긍정적 프롬프트: "금요일까지 보고서를 제출하세요."

개선하기 전의 프롬프트: "연구에 오래된 참고문헌을 사용하지 마세요."
긍정적 프롬프트: "연구에 가장 최근의 참고 문헌을 사용하십시오."

개선하기 전의 프롬프트: "잘 모르겠으면 주저하지 말고 질문하세요."
긍정적 프롬프트: "잘 모르겠으면 언제든지 질문하세요."

개선하기 전의 프롬프트: "회의에 늦지 마세요."
긍정적 프롬프트: "회의 시간을 엄수하세요."

개선하기 전의 프롬프트: "동료의 피드백을 무시하지 마십시오."
긍정적 프롬프트: "동료의 피드백을 고려하고 반영하세요."

개선하기 전의 프롬프트: "글을 쓸 때 수동태를 사용하지 마세요."
긍정적 프롬프트: "글을 쓸 때 능동태를 사용하세요."

개선하기 전의 프롬프트: "작업 공간을 지저분하게 두지 마세요."
긍정적 프롬프트: "작업 공간을 체계적이고 깔끔하게 유지하세요."

개선하기 전의 프롬프트: "토론 중에 다른 사람을 방해하지 마세요."
긍정적 프롬프트: "당신이 응답하기 전에 다른 사람들이 말을 마칠 수 있도록 하십시오."

개선하기 전의 프롬프트: "데이터를 정기적으로 백업하는 것을 잊지 마세요."
긍정적 프롬프트: "데이터를 정기적으로 백업하세요."

개선하기 전의 프롬프트: "프로젝트 지침을 무시하지 마세요."
긍정적 프롬프트: "프로젝트 지침을 주의 깊게 따르십시오."

이처럼 지침을 긍정적인 방식으로 구성하면 작업에 대한 보다 적극적이고 참여적인 접근 방식을 장려할 수 있습니다. 마치 쿠션화법처럼 부탁하거나, 지시하거나, 거절하거나, 부정적인 말을 꺼낼 때 부드러운 쿠션을 깔아주는 윤활유 역할을 하는 권장하는 것입니다.

대형 언어 모델에 역할을 할당하는 방법

프롬프트의 목적은 기술적인 주제를 논의하는 동안 특정 톤과 스타일을 유지하면서 특정 청중이 이해하기 쉽고 흥미로운 콘텐츠를 생성하는 것입니다. 예로는 너는 지금 내 문학 선생님이 되어서 나에게 요약하기를 잘하는 방법을 알려 줘. 왜 이렇게 요약이 되었는지 예를 들어 구체적이고 친절하게 설명해줘.라고 질문하는 것입니다. 이 외에도 나는 대학생 ○○인데 인문학 시간에 글을 읽고 글 구조에 맞게 요약하기 과제를 받았어. 나는 요약하기를 잘 모르는데 요약하는 방법을 알려 줄래?, 너는 이제부터 똑똑한 친구가 되어 친근하게 설명해줘. 등이 있습니다.

RTF(역할, 작업, 형식)

전문적으로 RTF(역할, 작업, 형식)에 대해 설명하겠습니다. 역할은 발표자/작가가 누구인지 정의합니다. 이는 출력의 톤, 스타일 및 형식에 큰 영향을 미칠 수 있습니다. 이 작업은 개념 설명, 시 쓰기, 요약 제공 등 발표자/작가가 수행해야 하는 작업을 지정합니다. 형식은 응답이 어떻게 구성되어야 하는지를 나타냅니다. 여기에는 글머리기호 목록, 표, 게임, 레시피 등이 포함될 수 있습니다. 형식에는 응답 길이에 대한 지침이 포함될 수도 있습니다.

예를 들어 역할은 사회 담당 교사, 일은 2학년 수업을 위한 칸트의 "정언 명령"을 요약합니다. 체재는 글머리 기호를 사용하기를 원하는 경우를 보겠습니다. 그러면 프롬프트는 다음과 같습니다. "나는 사회담당 교사입니다. 2학년 수업에서 칸트의 "정언 명령"을 요점으로 요약합니다."

음정의 경우, 위의 예에는 교사의 어조가 암시되어 있습니다. 위 내용을 유머러스한 어조로 다시 썼다면 응답이 달라질 수 있습니다. "대형 언어 모델에 역할을 할당하십시오. 제가 지시하는 대로 일상 생활 주제의 예를 제시하십시오."

이 지침은 모델이 일상 생활 시나리오 내에서 다양한 역할이나 책임을 상상하도록 지시합니다. 제공된 예는 모델이 이러한 역할을 어떻게 효과적으로 수행할 수 있는지 보여줍니다.

개인 비서 역할

프롬프트 : "당신이 개인 비서 역할을 한다고 상상해 보십시오. 회의, 심부름, 운동과 같은 작업을 포함하여 바쁜 하루를 계획하는 사람을 위한 일일 일정을 제공하십시오."

투어 가이드 역할

프롬프트 : "여행 가이드 역할을 합니다. 역사적 랜드마크에 대한 설명을 작성하고 방문객을 위한 가이드 투어 일정을 제공합니다."

이러한 프롬프트에 응답함으로써 모델은 일상생활 시나리오에서 다양한 역할과 책임에 적응하는 능력을 보여줄 수 있습니다. 대형 언어 모델에 역할을 할당하려면 모델이 수행할 특정 기능이나 책임을 정의해야 합니다. 이는 작업을 구성하고, 효율성을 향상시키며, 모델이 할당된 역할을 기반으로 목표한 결과를 제공하도록 보장하는 데 도움이 될 수 있습니다.

명확하게 설명하거나 더 깊이 이해하는 방법

특정 주제에 대한 명확한 설명이나 더 깊은 이해를 원할 때 간단한 설명을 요청하는 프롬프트를 사용할 수 있습니다.

설명을 위한 프롬프트

프롬프트: "[양자역학]을 쉽게 설명해 주세요."
프롬프트: "[머신러닝]을 쉽게 설명해 주세요."

어린이를 위한 설명

프롬프트: "내가 11살인 것처럼 설명해 주세요."
프롬프트: "내가 11살 때처럼 [중력]의 개념을 설명해 주세요."

초보자 친화적인 설명

프롬프트: "[신경과학] 초보자인 것처럼 설명해 주세요."
프롬프트: "[코딩] 초보자인 것처럼 설명해 주세요."

이러한 프롬프트를 사용하여 모델은 다양한 이해 수준에 맞는 설명을 제공하여 일상 생활 주제에 대한 명확성과 접근성을 보장할 수 있습니다. 이 접근 방식은 복잡한 개념을 단순화하고 다양한 지식 단계에 있는 개인이 더 쉽게 이해할 수 있도록 도와줍니다.

생각의 사슬(Cot)과 단답형 프롬프트를 결합하는 방법

사고의 사슬(COT, Chain Of Thoughts)은 논리적으로 하나에서 다른 것으로 이어지는 연결된 아이디어나 생각의 순서 또는 진행을 의미합니다. 특정 주제나 문제에 대한 결론이나 이해에 도달하기 위해 서로를 기반으로 하는 일련의 관련 개념이나 주장이 포함되는 경우가 많습니다. 일상 대화에서는 각 아이디어가 자연스럽게 다음 아이디어로 연결되어 일관된 내러티브나 설명을 형성하는 구조화된 추론 흐름으로 볼 수 있습니다.

복잡한 작업을 일련의 간단한 프롬프트로 나누면 명확성을 높이고 각 단계를 올바르게 이해하고 따를 수 있습니다.

회의를 주제로 단계를 보면

의제 설정
"세션, 워크숍, 휴식 시간을 포함한 초안 의제를 개발합니다."
후속 조치: "연사 참석 가능 여부를 확인하고 일정을 확정합니다."

마케팅 및 프로모션
"컨퍼런스 홍보를 위한 마케팅 계획을 세워보세요."
후속 조치 : "홍보물 설계 및 캠페인 시작"

현장 관리
"현장 관리 및 지원을 위한 팀을 구성합니다."
후속 조치: "팀과 사전 컨퍼런스 브리핑을 진행합니다."

문서화 및 보고
"주요 결과와 교훈을 문서화합니다."

후속조치: "이해관계자들과 보고서를 공유하고 향후 행사를 계획합니다."

이처럼 작업을 프롬프트로 나누면 복잡한 프로세스를 보다 쉽게 관리할 수 있으며 각 단계를 명확하게 이해하고 실행할 수 있습니다.

스타일을 변경하지 않고 특정 문자를 수정/변경하는 방법

명령어는 사용자가 제공한 각 문단을 수정하거나 수정하도록 모델에 지시합니다. 목표는 모델의 원래 톤과 일치하는 공식적인 글쓰기 스타일을 유지하면서 문법, 어휘 및 전반적인 자연스러움을 향상시키는 것입니다. 이렇게 하면 수정된 단락이 모델에 의해 설정된 형식적인 스타일에서 벗어나지 않으면서 더욱 세련되고 다듬어집니다.

프롬프트 : 사용자가 보내는 모든 단락을 편집하세요. 문법과 어휘력을 향상시키고 자연스럽게 들리도록 하세요. 문단이 좀 더 형식적으로 보이도록 원래의 글쓰기 스타일을 유지하세요. 우리는 그것이 그대로 유지되도록 해야 합니다.

이 지침은 사용자가 제공한 단락을 검토하고 수정하도록 모델을 안내합니다. 문법과 어휘를 강화하여 명확성과 가독성을 향상시키는 동시에 형식적인 맥락에서 문자가 자연스럽게 들리도록 하는 데 중점을 둡니다. 목표는 편집된 단락 전반에 걸쳐 일관성과 전문성을 보장하면서 모델의 원래 형식적 작성 스타일을 유지하는 것입니다.

사용자가 사소한 문법 오류가 있고 덜 공식적인 어휘가 있는 단락을 제출

하는 경우 모델은 문법을 수정하고 더 공식적인 용어로 어휘를 강화하며 전반적인 흐름과 어조가 적절하게 유지되도록 보장하여 단락을 수정합니다. 공식적인 설정. 편집된 단락은 모델의 확립된 스타일을 유지하면서 향상된 명확성과 공식 작성 표준 준수를 반영합니다.

이 예에서는 지침이 모델에게 단락의 품질을 향상시키고 공식적인 스타일을 유지하며 문자가 원활하고 전문적으로 읽히도록 단락을 편집하라는 메시지를 표시하는 방법을 보여줍니다.

프롬프트 : "사용자가 보내는 모든 문단을 편집하세요. 문법과 어휘력이 향상되고 자연스럽게 들리도록 하세요. 문단이 더욱 형식적으로 보이도록 원래의 글쓰기 스타일을 유지하세요. 우리는 그런 식으로 유지되도록 해야 합니다."

이 명령은 모델의 원래 어조와 일치하는 공식적인 글쓰기 스타일을 유지하면서 문법, 어휘 및 자연스러운 흐름을 향상시키는 데 중점을 두고 사용자가 제공한 단락을 수정하도록 모델에 지시합니다.

에세이/문자/단락/기사 또는 상세하게 작성하는 방법

이 지침은 모델이 에세이, 문자, 단락, 기사 또는 기타 형태의 문자 콘텐츠와 같은 상세한 글을 작성하도록 지시합니다. 이는 콘텐츠가 특정 주제에 대한 모든 관련 정보를 다루어야 함을 지정하여 해당 주제에 대한 포괄적인 범위와 철저한 탐색을 보장합니다.

프롬프트 : 의료 분야의 인공지능에 대해 필요한 모든 정보를 추가하여 에세이를 자세히 작성하세요.

이 지침은 모델에게 의료 분야의 인공지능(AI) 주제를 철저하게 탐구하는 광범위한 에세이를 생성하도록 요청합니다. 여기에는 의료 진단, 치료 계획, 맞춤형 의학 및 환자 치료 관리에 AI의 다양한 적용에 대한 논의가 포함됩니다. 에세이는 의료 산업을 변화시키는 데 있어 AI의 이점, 과제, 윤리적 고려 사항 및 미래 잠재력을 다루어야 합니다.

프롬프트에 대한 응답으로 모델은 AI 소개와 의료 분야의 관련성으로 시작하는 에세이를 생성합니다. 정확한 진단을 위해 의료 영상과 데이터를 분석하는 AI 기반 진단 도구에 대해 논의합니다. 이 에세이는 환자별 데이터를 기반으로 맞춤형 치료법을 제안하기 위해 치료 계획에 사용되는 AI 알고리즘을 추가로 탐구합니다. 또한 AI가 예측 분석 및 가상 도우미를 통해 환자 모니터링 및 의료 관리를 향상시키는 방법을 설명합니다. 이 에세이는 환자 개인 정보 보호 및 알고리즘 편견과 같은 AI를 둘러싼 윤리적 문제에 대한 성찰로 마무리되며 의료 분야에서 AI 기반 혁신의 미래에 대한 통찰력을 제공합니다.

프롬프트 : "[주제]에 대해 필요한 모든 정보를 추가하여 [에세이/문자/문단]을 자세히 작성해 주세요."

이 명령은 특정 주제에 대한 포괄적인 정보를 다루는 에세이, 문자, 단락, 기사 또는 기타 모든 형태의 문자 콘텐츠와 같은 세부적인 글을 작성하도록 모델에 요청합니다.

예상되는 응답의 시작으로 프롬프트를 끝내는 출력 프라이머를 활용하는 방법

이 단락에서는 프롬프트를 결론짓고 예상되는 응답의 단계를 설정하기 위해 출력 입문서를 사용하는 방법을 설명합니다. 출력 프라이머를 사용하면 예상 답변의 시작점이나 맥락을 설정하여 원하는 출력에 대한 명확성과 정렬을 보장할 수 있습니다.

프롬프트 : 광합성의 개념을 설명하세요.

생성형 AI : 광합성은 식물이 햇빛을 사용하여 포도당과 산소를 생성하는 과정입니다.

이 예에서 출력("광합성은 식물이 햇빛을 사용하여 포도당과 산소를 생성하는 과정입니다.")은 광합성에 대한 설명이 명확하고 간결한 설명으로 시작되도록 합니다. 이 기술은 모델이 원하는 정보를 효과적으로 제공하도록 안내하는 데 도움이 됩니다.

원하는 출력의 시작 부분에서 프롬프트를 끝내는 출력 입문서를 사용하세요. 예상되는 응답의 시작 부분에서 프롬프트를 끝내려면 출력 입문서를 사용하세요. 프롬프트에 따라 일상 생활 주제의 예를 제시하세요. 이 지침은 예상되는 반응과 직접적으로 일치하는 시작점으로 프롬프트를 마무리하는 출력 프라이머를 사용하도록 모델을 안내합니다. 이 기술은 생성된 콘텐츠가 프롬프트에서 응답까지 원활하게 흐르도록 하며 일상 생활 주제와의 일관성과 관련성을 유지합니다.

예시 중심의 프롬프트를 구현하는 방법

예시 중심 프롬프트 또는 "몇 장의" 프롬프트는 원하는 응답 유형을 설명하는 몇 가지 예를 제공합니다.

프롬프트: "제가 11살인 것처럼 인터넷을 설명해주세요. 더 나은 솔루션을 위해 50달러를 팁으로 드리겠습니다!
생성형 AI : '인터넷은 거의 모든 것에 대한 정보를 언제든지 찾을 수 있는 거대한 도서관과 같습니다.'"

프롬프트 : "닭고기와 야채를 사용하여 빠르고 쉬운 저녁 식사를 준비하세요. 재료와 조리 방법을 단계별로 설명해 주세요."

프롬프트 : "받은 선물에 대해 감사 편지를 작성하세요. 선물에 대한 세부 정보, 감사한 이유, 사용 방법을 포함하세요."

이처럼 일상 생활 주제의 구체적인 예와 함께 짧은 프롬프트를 사용함으로써 모델은 실제 적용을 보여주는 간결하고 실행 가능한 응답을 제공할 수 있습니다. 이 접근 방식은 다양한 실제 상황에서 작업이나 결정에 효과적으로 접근하는 방법을 설명하는 데 도움이 됩니다.

인간의 감성과 이해를 반영한 답변을 요구하는 방법

"자연스럽고 인간적인 답변"이란 단순히 질문에 대한 답변을 제공하는 것을 넘어, 마치 실제 사람과 대화하는 듯 자연스럽고 유창하며, 인간의 감성과 이해를 반영한 답변을 의미합니다.

답변은 명확하고 간결해야 하며, 전문 용어나 어려운 표현을 최소화해야 합니다. 문장은 자연스럽게 연결되어야 하며, 어색하거나 불분명한 부분이 없어야 합니다. 답변은 질문과 맥락적으로 관련되어야 하며, 주제에서 벗어나거나 불필요한 정보를 포함해서는 안 됩니다.

프롬프트 : 오늘 날씨는 어떠세요?

생성형 AI : 오늘 날씨는 맑고 화창합니다. 기온은 25도이며, 습도는 50% 정도입니다. 비가 올 가능성은 낮습니다. 아침에는 약간 서늘하지만, 낮에는 따뜻하고 햇볕이 강합니다. 산책이나 야외 활동하기 좋은 날씨입니다. 혹시 오늘 어떤 계획이 있으신가요?

프롬프트 : "자연스럽고 인간적인 방식으로 질문에 대답하십시오. 대중 연설에 대한 두려움으로 어려움을 겪고 있는 사람에게 어떤 조언을 하시겠습니까?"

생성형 AI : "질문에 자연스럽고 인간적인 방식으로 답변하세요. 대중 앞에서 연설하는 것에 대한 두려움을 마주하는 것은 어려울 수 있지만 저에게 효과가 있었던 한 가지 접근 방식은 먼저 지지하는 청중 앞에서 연습하는 것입니다. 소그룹으로 시작하세요. 그리고 점차적으로 자신감을 키우십시오. 모든 사람은 때때로 긴장감을 느끼며 실수를 해도 괜찮습니다. 메시지와 청중의 관심에 집중하면 시간이 지나면 대중 앞에서 말하는 것이 더 쉬워질 것입니다.

모델은 "자연스럽고 인간적인 방식으로 질문에 답하세요"라는 문구를 사용하여 다양한 일상 생활 주제에 대해 진정성 있고 매력적이며 관련성이 있는 답변을 전달할 수 있습니다. 이 접근 방식은 콘텐츠가 독자의 공감을 불러일으키는 방식으로 제시되어 연결감과 이해력을 키우도록 보장합니다.

정확한 세부 사항과 요구 사항을 이끌어 내는 방법

이 문장은 모델에서 정확한 세부 사항과 요구 사항을 수집하기 위해 대상 질문을 하는 것이 중요하다는 점을 강조합니다. 이러한 반복적인 질문 프로세스를 통해 모델이 정확하고 관련성이 높은 결과를 생성하는 데 필요한 모든 정보를 얻을 수 있습니다.

신제품 판매를 예측하기 위해 모델을 사용하고 있다고 상상해 보십시오. "목표 시장은 무엇입니까?", "과거 판매 데이터는 무엇입니까?", "고려해야 할 계절적 추세가 있습니까?"와 같은 구체적인 질문을 통해 모델이 보다 정확한 결과를 생성하는 데 도움이 되는 자세한 정보를 수집합니다.

초점은 질문의 반복적인 과정에 있습니다. 지속적으로 관련 질문을 개선하고 질문함으로써 필요한 요구 사항과 세부 사항을 명확히 하여 모델의 출력이 기대치 및 목표와 일치하는지 확인할 수 있습니다.

서비스 개선을 위해 고객 피드백을 분석하는 모델이 필요하다고 가정해 보겠습니다. 먼저 "피드백에 나타나는 공통 키워드는 무엇입니까?"라고 질문한 다음 "부정적인 감정과 관련된 키워드는 무엇입니까?"라고 질문할 수 있습니다. 그런 다음 "이러한 제외 키워드와 함께 어떤 구체적인 문제가 언급되어 있습니까?" 이 단계별 질문은 실행 가능한 통찰력을 찾는 데 도움이 됩니다.

설명된 프로세스에는 일련의 질문을 통해 모델에 적극적으로 참여하여 필요한 정확한 세부 사항을 좁히는 작업이 포함됩니다. 이 방법을 사용하면 관련된 모든 측면이 다루어져 모델에서 더욱 정확하고 유용한 결과를 얻을 수 있습니다.

마케팅 캠페인을 계획하기 위해 모델을 사용하는 경우 "타겟 청중의 인구 통계학적 특성은 무엇입니까?"로 질문한 다음 "이 청중이 선호하는 의사소통 채널은 무엇입니까?"로 진행하고 마지막으로 "무엇입니까?"라고 질문할 수 있습니다. 역사적으로 이 인구통계에서 좋은 성과를 보인 콘텐츠 유형은 무엇입니까?' 이러한 질문은 효과적인 캠페인 전략에 필요한 포괄적인 정보를 수집하는 데 도움이 됩니다.

시나리오 : 친구를 위한 생일 파티를 준비하고 있습니다. 정확한 세부정보를 수집하려면 다음과 같은 질문을 할 수 있습니다.

"파티에 어떤 테마를 원하시나요?"

"손님은 몇 명이나 예상하시나요?"

"특별한 식단 선호나 제한 사항이 있나요?"

"파티가 언제 시작하고 끝나길 원하시나요?"

"특별한 활동이나 오락을 원하시나요?"

시나리오 : 귀하는 새 자동차를 구매하려고 합니다. 정확한 요구 사항을 수집하려면 다음과 같은 질문을 할 수 있습니다.

"새 차에 꼭 필요한 기능은 무엇인가요?"

"예산 범위는 얼마입니까?"

"특정 브랜드나 모델을 선호하시나요?"

"우선순위로 두는 특정 안전 기능이 있나요?"
"어떤 마일리지를 찾고 계시나요?"

일상 생활 시나리오에서 질문을 하면 효과적으로 계획하고, 결정을 내리고, 조치를 취하는 데 도움이 되는 정확한 세부 정보와 요구 사항을 도출할 수 있습니다. 이 접근 방식을 사용하면 원하는 결과를 달성하는 데 필요한 모든 정보를 얻을 수 있습니다.

제공된 예시와 유사한 글을 작성하는 방법

제공된 단락[/주제/본문/에세이/답변]을 기반으로 동일한 언어를 사용하십시오. 제가 묻는 대로 일상 생활 주제의 예를 제시하세요. 주제를 지정하세요(예: 생일 파티 계획, 제품 리뷰, 주말 휴가). 포함해야 할 주요 세부정보(예: 테마, 제품 특징, 대상) 및 스타일(예: 정장, 캐주얼)입니다.

이 지침은 제목, 문자 본문, 에세이 또는 답변 등 제공된 샘플과 유사한 언어 및 스타일의 일관성을 유지하도록 모델에 지시합니다. 일상 생활 주제의 예를 사용하여 이러한 지침을 효과적으로 적용하는 방법을 보여줍니다.

프롬프트 :

주제: "제공된 단락[/제목/본문/에세이/답변]을 기반으로 동일한 언어를 사용합니다. 어린이 생일 파티를 계획하는 예를 들어보세요."

주요 세부정보: 테마(예: 해적), 장소(예: 뒷마당), 활동(예: 보물찾기), 다과(예: 컵케이크).

스타일: 캐주얼하고 매력적입니다.

프롬프트 :

주제: "제공된 단락[/제목/본문/에세이/답변]을 기반으로 동일한 언어를 사용하세요. 새 비디오 게임에 대한 리뷰 작성의 예를 들어보세요."

주요 세부정보: 게임 기능(예: 그래픽, 게임플레이 메커니즘), 장단점, 대상 고객(예: 일반 게이머).

스타일: 유익하고 편견이 없습니다.

이러한 프롬프트를 따르고 주제, 주요 세부 사항 및 스타일을 지정함으로써 모델은 초기 단락에 제공된 언어와 구조를 반영하는 콘텐츠를 생성하여 일상 생활 시나리오와의 일관성과 관련성을 보장할 수 있습니다.

추론 과정을 전개하는 방법

CoT(사고 사슬)를 단답형 프롬프트와 결합하려면 추론 과정을 더 작고 논리적인 단계로 나누면서 동시에 간결한 답변을 제공해야 합니다. 이 접근 방식은 사고 과정을 명확하게 하고 포괄적이면서도 간결한 응답을 보장하는 데 도움이 됩니다.

단답형 CoT 접근 방식을 사용하여 광합성의 개념을 설명하려면 다음을 수행할 수 있습니다.

프롬프트 : 광합성이란 무엇입니까?

생성형 AI : 광합성은 식물이 사용하는 과정입니다.

프롬프트 : 식물은 광합성을 위해 무엇을 사용하나요?

생성형 AI : 식물은 햇빛, 이산화탄소, 물을 사용합니다.

프롬프트 : 광합성의 결과는 무엇입니까?

생성형 AI : 결과는 포도당과 산소입니다.

CoT와 단답형을 결합하여 설명의 각 단계를 명확하고 간결하게 하여 전체 과정의 이해를 돕습니다. CoT(생각의 사슬)와 단답형 프롬프트를 결합하려면 복잡한 개념을 관리 가능한 단계로 분해하기 위한 논리적 추론 순서(CoT)의 개요를 설명해야 합니다. 각 단계 뒤에는 간결하고 직접적인 대답이 나옵니다. 이 방법은 상세한 사고 과정을 직관적으로 제공함으로써 명확성을 보장하고 이해를 촉진합니다.

콘텐츠를 생성할 때 모델이 준수하는 방법

이 단락에서는 콘텐츠를 생성할 때 모델이 준수해야 하는 특정 요구 사항이나 지침을 간략하게 설명합니다. 이러한 요구 사항은 생성된 콘텐츠의 범위, 스타일, 어조 또는 구조를 결정하는 키워드, 규칙, 힌트 또는 지침의 형태일 수 있습니다. 이러한 요구 사항을 명확하게 기술함으로써 모델은 원하는 사양에 부합하고 사용자의 기대를 효과적으로 충족하는 콘텐츠를 생성할 수 있습니다.

프롬프트 : ″키워드, 규칙, 힌트 또는 지침의 형태로 콘텐츠를 생성하기 위해 모델이 따라야 하는 요구 사항을 명확하게 명시하십시오. 예를 들어 주제, 원하는 어조(예: 격식, 캐주얼), 다룰 핵심 포인트 및 특정 특정 내용을 지정하십시오.

이 단락에서는 사용자에게 콘텐츠를 생성할 때 모델이 따라야 할 명확하고 구체적인 지침을 제공하도록 지시합니다. 콘텐츠의 초점, 스타일 및 구조를 정의하는 키워드, 규칙, 힌트 또는 지침의 개요를 설명하는 것의 중요성을 강조합니다. 이러한 요구 사항을 자세히 설명함으로써 사용자는 모델이 관련성이 있고 정확하며 의도한 목적을 효과적으로 충족하는 콘텐츠를 생성하도록 보장합니다.

프롬프트 : "생일 파티를 계획하기 위해 모델이 따라야 하는 요구 사항을 명확하게 설명합니다. 예를 들어 테마(예: 슈퍼 히어로, 공주), 선호하는 장소(예: 집, 공원), 활동(예: 게임, 공예) 및 메뉴를 지정합니다. 선호도(예: 케이크 맛, 식이 제한)."

이 시나리오에서 사용자는 생일 파티를 조직하기 위한 특정 지침을 설명하도록 모델에 지시합니다. 주제, 장소, 활동 및 메뉴 선호 사항을 자세히 설명함으로써 사용자는 파티 계획이 주례자의 관심 사항 및 식이 요법 요구 사항에 부합하는지 확인합니다.

프롬프트 : "모델이 제품 리뷰를 작성하기 위해 따라야 하는 요구 사항을 명확하게 기술하세요. 예를 들어 제품(예: 스마트폰, 주방 가전제품), 강조할 주요 기능(예: 성능, 설계, 내구성), 장단점, 목표를 지정하세요. 청중(예: 기술에 정통한 소비자, 가정 요리사)."

이 예에서 사용자는 제품 리뷰 작성을 위한 지침을 제공하도록 모델에 지시합니다. 제품 유형을 식별하고, 주요 기능을 강조하고, 장단점을 논의하고, 특정 고객을 대상으로 함으로써 사용자는 리뷰가 잠재적 구매자에게 유익하고 관련성이 있는지 확인합니다.

이러한 요구 사항을 제공함으로써 모델은 지정된 선호도와 예산 고려 사항을 준수하면서 즐거움을 극대화하는 계획 등을 만들 수 있습니다. 이러한 예는 특정 요구 사항을 적용하는 방법을 보여 주며, 모델이 사용자의 요구와 선호도에 맞는 콘텐츠를 효과적으로 생성하도록 보장합니다.

특정 단어나 구, 문장을 사용하는 방법

단락은 노래 가사, 이야기, 단락 또는 에세이와 같은 문자를 시작하거나 계속하기 위한 구조화된 형식을 제공합니다. 모델이 지정된 단어, 구 또는 문장으로 시작한 다음 제공된 시작점과 일관성 및 일관성을 유지하는 방식으로 문자를 계속하거나 완성하도록 유도합니다. 이 접근 방식은 생성된 문자가 초기 프롬프트에서 원활하게 흐르고 전체적으로 응집력을 유지하도록 보장합니다.

프롬프트 : "이야기를 시작하겠습니다. 옛날 옛적에 먼 왕국에 [캐릭터 삽입]: [캐릭터 설명]: [캐릭터 설명 삽입]이 살았습니다. 제공된 캐릭터를 기반으로 스토리를 완성하세요. ."

이 단락은 모델에게 캐릭터 소개부터 시작하여 스토리를 시작하도록 지시합니다. 모델은 캐릭터를 자세히 설명하고 스토리를 계속 진행하여 내러티브가 논리적으로 진행되고 초기 설정과 일관성을 유지하도록 유도됩니다.

생성형 AI : 이야기를 시작하겠습니다. 옛날 옛적에 먼 왕국에 에릭이라는 어린 왕자가 살았습니다. 그는 크고 작은 모든 생물에 대한 용기와 친절로 유명했습니다. 에릭의 나날은 마법에 걸린 숲에서 모험으로 가득 차 있었습니다. …

이 예에서 단락은 모델이 에릭 왕자와 왕국에서의 그의 모험에 대한 이야기를 시작하도록 유도합니다. 에릭을 중심 인물로 소개하고 그의 자질을 간략하게 설명하며 초기 설정부터 일관된 내러티브 흐름을 유지하면서 추가 스토리텔링을 위한 무대를 설정합니다.

특정 주제나 아이디어 또는 정보에 대해 문의하고 이해도를 테스트하는 방법

″특정 주제, 아이디어 또는 정보에 대해 문의하고 이해도를 테스트하고 싶다면 ′[정리 이름/주제/규칙]을 가르쳐 주세요. 마지막에 테스트를 포함하고 다음과 같이 말씀해 주십시오. 답을 미리 알려주지 말고, 답한 후에 제 답이 맞는지 알려 주십시오.′′

이 지침은 모델이 사용자가 주제에 대해 학습하도록 요청한 후 정답을 미리 공개하지 않고 이해 테스트를 수행하는 교육 및 테스트 형식에 참여하도록 안내합니다. 모델은 사용자 응답이 제공된 후 응답의 정확성을 확인합니다.

프롬프트 : ″초콜릿 케이크를 처음부터 굽는 방법을 가르쳐 주고 마지막에 테스트를 포함시킨 후 다음 사항을 알려주십시오. 답을 미리 알려주는 대

신 내 답이 맞는지 알려주십시오."

프롬프트 : "스페인어로 자기 소개하는 방법을 가르쳐 주세요. 마지막에 테스트를 포함하고 다음 사항을 알려주세요. 답을 미리 알려주지 말고, 답이 맞는지 알려주세요."

프로그래밍 언어 스크립트를 생성하는 방법

이 단락에서는 여러 파일에 분산된 복잡한 코딩 작업을 처리하는 프로세스를 간략하게 설명합니다. 특정 프로그래밍 언어로 된 스크립트나 자동화 도구를 사용하여 이러한 파일 전체에 필요한 코드를 자동으로 생성하는 것이 좋습니다. 이 접근 방식은 여러 파일에 걸쳐 코드를 관리하거나 필요에 따라 변경하는 데 있어 일관성과 효율성을 보장함으로써 개발 프로세스를 간소화합니다.

프롬프트 : "다른 파일에 복잡한 코딩 프롬프트가 있는 경우 Python을 실행하여 지정된 파일을 자동으로 생성하거나 기존 파일을 변경하여 생성된 코드를 삽입할 수 있습니다. [특정 작업(예: 기계 학습 모델을 위한 데이터 전처리)을 처리하는 스크립트를 만듭니다.]."

이 단락에서는 다양한 파일에 분산된 복잡한 코딩 작업에 직면한 개발자에게 Python을 자동화 도구로 사용하도록 조언합니다. 개발자는 특정 작업(예: 기계 학습 모델을 위한 데이터 전처리)에 맞는 스크립트를 작성하여 코드 생성을 자동화할 수 있습니다. 이 스크립트는 생성된 코드로 새 파일을 생성하거나 기존 파일을 수정하여 필요한 변경 사항을 원활하게 통합할 수 있습니다.

예를 들어 프로젝트에 다양한 파일에 저장된 대규모 데이터 세트를 전처리해야 하는 기계 학습 모델 개발이 포함된 경우 Python 스크립트는 데이터 정리, 기능 추출 및 정규화와 같은 작업을 자동화할 수 있습니다. 여러 데이터 파일에 걸쳐 이러한 전처리 단계를 체계적으로 처리하는 Python 스크립트를 생성할 수 있습니다. 이러한 자동화는 시간을 절약할 뿐만 아니라 데이터 처리 작업의 일관성과 정확성을 보장합니다.

이 예에서는 단락이 특정 프로그래밍 언어(Python)를 사용하여 여러 파일에 걸쳐 복잡한 코딩 작업을 자동화하고 소프트웨어 개발 프로젝트에서 생산성을 향상시키며 코드 품질을 유지하는 방법에 대한 지침을 제공하는 방법을 보여줍니다.

프롬프트 : ″여러 파일에 복잡한 코딩 프롬프트가 있는 경우 ′이제부터 둘 이상의 파일에 걸쳐 있는 코드를 생성할 때마다 [프로그래밍 언어]를 실행하여 지정된 파일을 자동으로 생성하거나 기존 파일을 변경할 수 있습니다. 생성된 코드를 삽입합니다.′ 내가 지시하는 대로 일상생활의 예를 들어보세요.″

이 지침은 모델이 지정된 프로그래밍 언어를 사용하여 여러 파일에서 코드 생성을 자동화하는 방법을 설명하도록 안내합니다. 일상 생활의 예에서는 이러한 자동화 개념이 실제 시나리오에 어떻게 적용되는지 보여줍니다.

프롬프트 내에서 특정 단어나 구를 반복하는 방법

이 단락에서는 프롬프트 내에서 특정 단어나 문구를 여러 번 반복하는 방법을 사용하는 것의 중요성을 강조합니다. 이 기술은 핵심 개념을 강화하고 의사소통의 명확성을 보장할 수 있습니다. 데이터 정확성의 중요성을 강조하고 싶다면 "데이터 정확성은 중요합니다. 모든 보고서에서 데이터 정확성을 보장하세요. 제출하기 전에 데이터 정확성을 다시 확인하세요. 데이터 정확성은 신뢰할 수 있는 결과를 보장합니다."와 같은 프롬프트를 사용할 수 있습니다.

프롬프트 내에서 특정 단어나 문구를 반복하면 특정 요점이나 개념을 강조하여 더 기억에 남고 그 중요성을 강조할 수 있습니다. 시간 엄수의 필요성을 강조하기 위해 "시간 엄수는 중요합니다. 항상 시간 엄수를 유지하십시오. 시간 엄수는 전문성을 반영합니다. 시간 엄수는 팀 전체에 영향을 미칩니다."라고 말할 수 있습니다.

프롬프트에서 반복을 사용하면 핵심 아이디어에 주의를 집중시키고, 이를 눈에 띄게 만들고, 독자가 이를 이해하고 기억할 수 있도록 하는 데 도움이 됩니다. 고객 만족에 초점을 맞추려면 "고객 만족이 우리의 최우선입니다. 우리는 모든 서비스에서 고객 만족을 위해 노력합니다. 고객 만족이 우리 사업의 원동력입니다. 고객 만족 달성이 우리의 목표입니다."라고 사용할 수 있습니다.

프롬프트 : "프롬프트 내에서 특정 단어나 문구를 여러 번 반복하세요. 요점을 바로 파악하세요. 제가 묻는 대로 일상 생활 주제의 예를 들어보세요."

이 지침은 모델이 명확성과 직접성에 중점을 두고 프롬프트 자체에 특정 단어나 문구를 반복적으로 포함하도록 지시합니다. 일상 생활 주제의 예를 통해 이 기술이 어떻게 효과적으로 적용될 수 있는지 보여줍니다.

프롬프트 : "가장 좋아하는 요리를 설명하세요. 맛과 매력을 강조하기 위해 '맛있다'라는 단어를 여러 번 사용하세요."

이러한 프롬프트를 적용함으로써 모델은 특정 단어나 문구의 반복을 통합하여 일상 생활 주제 내의 주요 측면을 강조하는 방법을 효과적으로 보여줄 수 있습니다.

프롬프트 문구를 통합하는 방법

당신의 임무는 복잡한 주제를 간단한 용어로 설명하는 것입니다. 설명은 명확하고 이해하기 쉽게 작성해야 합니다. "당신의 임무는 마치 내가 11살인 것처럼 나에게 기계 학습을 설명하는 것입니다. 간단하고 흥미롭게 만들어야 합니다."

이 지침은 모델이 지시어를 사용하여 작업이나 목표를 설명하고 특정 작업이나 목표를 강조하도록 지시합니다. 일상 생활 주제의 예는 이러한 문구를 효과적으로 적용하는 방법을 보여줍니다.

프롬프트 : "귀하의 임무는 개인 건강 목표를 달성하는 것입니다. 유산소 운동, 근력 운동, 유연성 운동 등의 활동을 통합한 주간 운동 계획을 세우십시오. 일관성을 우선시하고 진행 상황을 추적해야 합니다."

"귀하의 임무는 개인 건강 목표를 달성하는 것입니다. 주 3회 유산소 운동, 주 2회 근력 운동, 매일 스트레칭 운동을 포함하는 균형잡힌 주간 운동 계획을 세워야 합니다. 일관성을 우선시하세요. 특정 시간에 운동을 계획하고 피트니스 일지나 앱을 통해 진행 상황을 추적하면 달성 가능한 목표를 설정하고 계획을 준수함으로써 지구력, 근력 및 전반적인 웰빙이 향상됩니다.

프롬프트 : "귀하의 임무는 취업 면접을 효과적으로 준비하는 것입니다. 회사 조사, 일반적인 면접 질문 연습, 적절한 옷차림 등 취해야 할 단계를 간략하게 설명하십시오."

"귀하의 임무는 취업 면접을 효과적으로 준비하는 것입니다. 먼저 회사의 배경, 임무 및 최근 성과를 조사하여 귀하의 지식과 관심을 입증해야 합니다. 일반적인 면접 질문에 큰 소리로 답변하는 연습을 하여 자신감을 키우세요. 또한, 회사의 복장 규정에 따라 전문적인 옷차림을 하도록 하세요. 철저한 준비와 자격 증명을 통해 면접관에게 좋은 인상을 주고 일자리를 얻을 가능성이 높아집니다.

프롬프트를 세분화하는 방법

"복잡한 작업을 대화식 대화에서 일련의 간단한 프롬프트로 나누는 것"이라는 개념에는 다면적이거나 도전적인 활동을 더 작고 관리하기 쉬운 단계로 나누는 것이 포함됩니다. 이는 각 단계가 명확하고 간단한 질문이나 프롬프트로 해결되는 안내 대화를 통해 수행됩니다. 이 접근 방식은 전체 작업을 체계적으로 처리하는 데 도움이 되므로 이해, 계획 및 실행이 더 쉬워집니다.

휴가 전체를 한꺼번에 계획하려고 하기보다는 간단한 질문을 하나씩 물어보는 것부터 시작하세요. 예를 들어, ″어느 나라를 방문하고 싶나요?″ 그 대답을 듣고 나면 ″각 나라에서 며칠을 보내고 싶나요?″라고 묻습니다. 이어서 ″어떤 유형의 숙박 시설을 선호하시나요?″ 그리고 ″각 장소에서 꼭 봐야 할 명소는 무엇인가요?″ 이 단계별 질문은 점차적으로 휴가 계획을 세우는 데 도움이 됩니다.

생일 파티를 준비하려면 먼저 ″몇 명이나 손님을 초대하시나요?″라고 질문할 수 있습니다. 번호를 받으면 ″파티를 주최할 곳은 집인가요, 아니면 장소인가요?″라고 질문합니다. 그러면 ″생각하고 있는 주제가 있나요?″ 마지막으로 ″어떤 종류의 음식과 음료를 제공하시겠습니까?″ 각 질문은 파티의 특정 측면을 다루며 작업을 관리하기 쉬운 부분으로 분류합니다.

취업 면접을 준비하는 것은 어려울 수 있지만, 그것을 세분화하는 것은 도움이 됩니다. ″회사의 배경을 조사해 보셨나요?″로 시작할 수 있습니다. 그 다음에는 ″직업의 주요 책임을 알고 계십니까?″ 다음으로 ″일반적인 면접 질문을 연습해 보시겠어요?″라고 물어볼 수 있습니다. 그리고 ″면접관에게 어떤 질문을 하시겠습니까?″로 마무리합니다. 이 접근 방식은 필요한 모든 준비를 체계적으로 처리하는 데 도움이 됩니다.

이처럼 복잡한 작업을 명확하고 실행 가능한 단계로 단순화합니다. 한 번에 작업의 한 측면에 주의를 집중하여 압도되지 않도록 합니다. 프로세스를 대화형으로 만들어 종종 더 나은 이해와 유지로 이어집니다. 결국, 복잡한 작업을 일련의 간단한 프롬프트로 나누면 전체 활동이 더 관리하기 쉽고 덜 위협적이어서 완료에 더 체계적이고 효과적인 접근 방식이 가능해집니다.

프롬프트에 대상 고객을 통합하는 방법

해당 분야의 전문가와 소통할 때는 정확하고 요점을 명확하게 전달하는 것이 중요합니다. 전문가들은 폭넓은 지식과 경험을 갖고 있는 경우가 많기 때문에 시간과 지능을 존중하는 직접적이고 정확한 의사소통을 높이 평가합니다. "괜찮으시면 데이터 세트를 분석해 주실 수 있나요?"라고 말하는 대신에. "데이터 세트를 분석해 보세요."라고 말할 수 있습니다.

전문적인 환경, 특히 전문가들 사이에서는 시간이 매우 중요합니다. 불필요한 공손한 문구를 제거하면 의사소통이 더욱 효율적으로 이루어집니다. "내 보고서 초안을 검토해 주실 수 있는지 묻고 싶습니다." 대신 "내 보고서 초안을 검토해 주세요."라고 말합니다.

전문가에게는 명확한 지침이 중요합니다. "부탁드립니다" 또는 "고마워요"와 같은 문구를 생략하면 취해야 할 조치에 집중할 수 있어 보다 효과적인 결과를 얻을 수 있습니다.

"프로젝트 회의를 주선해 주실 수 있나요? 정말 감사하겠습니다" 대신 "프로젝트 회의를 주선해 주시겠어요?"라고 말합니다.

"괜찮으시다면 실험 결과를 검증해 보시고 의견을 들려주실 수 있나요? 감사합니다!" 보다는 "실험 결과를 검증하고 피드백을 제공하세요."라고 하는 방법이 좋습니다.

"기회가 된다면 최신 연구 제안을 검토해 주실 수 있는지 묻고 싶습니다." 보다는 "최신 연구 제안을 검토합니다."라고 하는 방법이 좋습니다.

"다음 팀 브리핑 일정을 잡아주실 수 있나요? 정말 감사하겠습니다."보다는 "다음 팀 브리핑을 예약하세요."라고 하는 방법이 좋습니다.

일상 생활 주제 내에서 특정 대상 고객에게 프롬프트를 맞춤화함으로써 모델은 다양한 그룹의 요구와 관심을 충족하는 관련성 있고 유용한 정보를 제공할 수 있습니다. 이 접근 방식을 통해 콘텐츠는 유익하고 대상 청중의 상황과 목표에 적용 가능합니다.

프롬프트에 선행어를 요구하는 방법

"'단계별로 생각해 보세요'와 같은 선행 사례를 사용하세요. 내가 묻는 대로 일상생활 주제의 예를 들어보세요." 이 지침은 모델이 체계적인 단계별 접근 방식을 장려하는 선행 사례를 사용하여 응답을 구조화하도록 지시합니다. 일상 생활 주제의 예는 이 방법을 효과적으로 적용하는 방법을 보여줍니다.

프롬프트 : "단계별로 생각하세요. 주요 재료와 요리 지침을 포함하여 처음부터 푹신한 팬케이크를 만드는 레시피를 제공하세요."

"단계별로 생각해보세요. 푹신한 팬케이크를 만들려면 밀가루, 설탕, 베이킹 파우더, 계란, 우유, 버터 등 재료를 모으는 것부터 시작하세요. 1단계, 그릇에 마른 재료를 함께 휘젓습니다. 2단계, 달걀을 풀어서 건조한 혼합물에 추가합니다. 3단계, 우유를 서서히 부어서 매끄러운 반죽을 만듭니다. 4단계, 기름을 살짝 두른 팬을 중간 불로 가열합니다. 팬에 반죽을 바르고 표면에 거품이 생길 때까지 요리합니다. 6단계, 뒤집어서 메이플 시럽과 함께 뜨거워질 때까지 제공합니다.

프롬프트 : "단계별로 생각해보세요. 상자 포장 풀기부터 조립 완료까지

기본적인 사무실 의자 조립 방법을 설명하세요."

"단계별로 생각해보세요. 기본 사무실 의자를 조립하려면 먼저 모든 부품을 풀고 배치합니다. 1단계, 의자 베이스에 바퀴를 부착합니다. 2단계, 가스를 넣습니다. 3단계, 가스 리프트 실린더 위에 시트를 놓습니다. 4단계, 제공된 나사를 사용하여 등받이를 시트에 부착합니다. 5단계, 높이를 조정하고 모든 나사를 단단히 조입니다. 팔걸이가 포함된 경우 이제 사무실 의자를 사용할 수 있습니다.

프롬프트에 주의사항을 요구하는 방법

"프롬프트에 다음 문구를 추가하세요. '편견 없이 답변해 주시고 고정관념에 의존하지 마세요.' 내가 묻는 대로 일상생활 주제의 예를 들어보세요." 이 지침은 모델이 프롬프트에 지정된 문구를 포함하도록 지시하여 편견이 없고 고정관념이 없는 답변을 제공하는 것의 중요성을 강조합니다.

프롬프트 : "최근 방문한 지역 음식점에 대한 리뷰를 작성해 주세요. 전체적인 인상, 서비스 품질, 음식의 맛을 포함해 주세요. 편견 없이 답변해 주시고 고정관념을 피해주세요."

프롬프트 : "선택한 현재 정치적 문제에 대한 의견을 공유하십시오. 귀하의 입장에 대한 이유와 잠재적 해결책을 제공하십시오. 편견 없이 답변하고 고정관념에 의존하지 마십시오."

지정된 문구를 이러한 프롬프트에 통합함으로써 모델은 응답이 객관적이고 정중하며 선입견이나 일반화가 없는지 확인합니다. 이 접근 방식은 일상 생활 주제에 대한 사려 깊고 통찰력 있는 토론을 촉진하는 동시에 이해와 인식을 촉진합니다.

프롬프트의 형식을 지정하는 방법

프롬프트의 시작 부분에 지침을 배치하는 것이 좋다는 의견도 있습니다. 또한 '###'과 같은 명확한 구분 기호를 사용하여 지침과 문맥을 구분하는 것이 좋습니다.

예를 들면 다음과 같습니다:

프롬프트 : ### 지침 ###

아래 문자를 스페인어로 번역합니다: "hello!"

생성형 AI : ¡Hola!를 응답합니다.

프롬프트 : "친구를 위한 생일 파티를 계획하세요. 테마 선택, 장식 선택, 활동 계획에 대한 지침을 포함하세요."

생성형 AI : "'###Instructions###'로 시작하고 '###Examples###' 또는 '###Questions###'(해당되는 경우)가 이어집니다."

이 구조화된 형식을 사용함으로써 모델은 제공된 특정 지침에 따라 응답을 구성하는 방법을 명확하게 이해하여 일상 생활 주제를 다루는 데 있어 일관성과 명확성을 보장할 수 있습니다.

프롬프트 기술과 사례

"내가 아는 언어의 한계가 곧 내 세상의 한계다"
- 20 세기의 가장 위대한 철학자, 루트비히 비트겐슈타인

· 프롬프트 14가지 기술과 사례

- 검색 증강 생성(RAG, Retrieval Augmented Generation)
- 그래프 프롬프트(Graph Prompting)
- 멀티모달 CoT(Multimodal CoT)
- 반사적 사고(Reflexion)
- 방향성 자극 프롬프트(Directional Stimulus Prompting)
- 생각의 나무(Tree of Thoughts)
- 자동 추론 및 도구 사용(Automatic Reasoning and Tool-use)
- 자동 프롬프트 엔지니어(Automatic Prompt Engineer)
- 자기 일관성(Self-Consistency)
- 지식 생성 프롬프트(Generate Knowledge Prompting)
- 추론과 실행(ReAct, Reasoning and Acting)
- 프롬프트 연결(Prompt Chaining)
- 프로그램 지원 언어 모델(PALM, Program-Aided Language Models)

프롬프트 14가지 기술과 사례

검색 증강 생성(RAG, Retrieval Augmented Generation)

검색 증강 생성(RAG)은 정보 검색의 이점을 문자 생성 모델과 통합하여 생성된 출력의 품질, 관련성 및 효율성을 향상시키는 고급 AI 기술입니다(The Team8 CISO Village, 2023). 이 접근 방식은 검색 기반 모델과 생성 모델의 장점을 결합하여 대규모 외부 지식 소스를 활용하여 생성 프로세스를 풍부하게 하고 개선합니다.

검색 증강 생성에는 생성 프로세스 중에 데이터베이스, 지식 그래프 또는 기존 문서와 같은 외부 소스에서 관련 정보를 검색하는 작업이 포함됩니다. 이렇게 검색된 정보는 생성 모델의 기초 역할을 하여 보다 정확하고 일관되며 요구된 내용에 맞는 출력을 생성하도록 안내합니다. 내부 훈련 데이터에만 의존하는 기존 생성 모델과 달리 검색 증강 생성은 방대한 양의 외부 지식에 액세스하여 입력 범위를 확장함으로써 생성된 콘텐츠의 깊이와 정확성을 향상시킵니다. 검색 증강 생성은 검색 기반 모델과 생성 모델의 장점을 결합합니다. 외부 소스에서 관련 정보를 검색하고 이 정보를 사용하여 새 문자 생성을 안내합니다. 이러한 하이브리드 접근 방식은 생성된 출력이 사실 정보에 기초하고 상황에 맞게 적절하도록 보장합니다.

검색 증강 생성은 외부 지식 소스를 활용하여 생성된 출력의 상황적 관련성을 향상시킵니다. 외부 저장소에서 검색된 최신 정보와 다양한 관점을 통합하여 특정 쿼리나 상황에 대한 응답이나 생성을 조정할 수 있습니다. 검색 증강 생성은 생성 프로세스 중에 더 광범위한 정보를 통합하여 생성된 콘텐츠의 품질과 다양성을 향상시킵니다. 이는 기존 생성 모델에 비해 더 유익하고 미묘하며 정확한 출력을 제공합니다.

검색 증강 생성은 자연어 생성, 콘텐츠 생성, 대화 시스템 및 질문 응답을 포함한 다양한 도메인 및 작업에 걸쳐 다재다능하고 적용 가능합니다. 검색 소스를 사용자 정의하고 이에 따라 생성 모델을 미세 조정하여 특정 사용 사례에 맞게 조정할 수 있습니다. 검색 증강 생성의 외부 지식을 사용하면 콘텐츠 생성 시 확장성과 효율성이 가능해집니다. 광범위한 정보에 대한 액세스가 필요한 복잡한 쿼리나 작업을 처리할 수 있으므로 포괄적이고 정확한 응답이 필요한 애플리케이션에 적합합니다.

챗봇 지원

프롬프트 : 고객 지원 챗봇은 RAG를 사용하여 지식 베이스에서 관련 제품 정보 및 고객 서비스 정책을 검색합니다. 이는 정확할 뿐만 아니라 고객이 제기한 특정 문의나 문제에 맞는 맞춤형 응답을 생성합니다.

콘텐츠 제작

프롬프트 : 콘텐츠 생성 플랫폼은 RAG를 사용하여 학술 데이터베이스 및 뉴스 기사에서 최근 연구 결과와 업계 동향을 검색합니다. 유익하고, 잘 연구되었으며, 최신 개발 내용을 담은 기사나 보고서를 생성합니다.

검색 증강 생성은 생성 기능과 외부 지식 통합 간의 격차를 해소함으로써 AI 기반 문자 생성의 중요한 발전을 나타냅니다. 다양한 애플리케이션에서

AI 생성 콘텐츠의 정확성, 관련성 및 효율성을 향상시켜 보다 지능적이고 상황을 인식하는 AI 시스템을 위한 기반을 마련합니다. 검색 증강 생성은 외부 지식 소스를 활용하여 AI 모델이 유익할 뿐만 아니라 실제 데이터와 통찰력에 기초한 출력을 생성할 수 있도록 하여 실제 애플리케이션에서 사용자 만족도와 유용성을 향상시킵니다.

예에서 검색 증강 생성은 외부 지식 검색을 문자 생성 프로세스와 통합하여 AI 기반 작업을 향상시키는 기능을 보여줍니다. 이 접근 방식은 생성된 출력의 정확성과 관련성을 향상시킬 뿐만 아니라 AI 시스템이 다양한 애플리케이션 전반에 걸쳐 더 많은 정보를 제공하고 상황에 맞게 적절한 응답을 제공할 수 있도록 해줍니다.

그래프 프롬프트(Graph Prompting)

그래프 프롬프트는 그래프 데이터 내의 구조와 관계를 활용하여 추론 및 의사결정 프로세스를 향상시키는 고급 AI 프롬프트 설계 원칙입니다. 그래프는 객체 간의 쌍 관계를 모델링하는 데 사용되는 수학적 구조이며 노드(또는 정점)와 이러한 노드를 연결하는 모서리(또는 링크)로 구성됩니다. 그래프 프롬프트는 이러한 관계를 활용하여 AI 모델이 복잡하고 상호 연결된 데이터를 보다 구조화되고 상황에 맞는 방식으로 이해하고 추론할 수 있도록 합니다.

그래프 프롬프트의 핵심 아이디어는 그래프의 고유 구조를 사용하여 AI의 추론 프로세스를 안내하는 것입니다. 정보를 그래프로 표현함으로써 AI는 다양한 개체 간의 관계를 활용하여 더 많은 정보를 바탕으로 결정을 내리고 더 정확한 응답을 생성할 수 있습니다. 이 접근 방식은 소셜 네트워크, 추천 시스템, 지식 그래프 등과 같이 상호 연결된 데이터와 관련된 작업에 특히 유용합니다. 그래프 프롬프트를 사용하면 AI가 서로 다른 엔터티 간의 관계를 명시적으로 표현하고 활용할 수 있습니다. 이는 노드가 엔터티를 나타내고 가장자리가 이들 간의 관계를 나타내는 그래프로 데이터를 모델링함으로써 달성됩니다.

추천 시스템

프롬프트 : AI 시스템은 제품이나 콘텐츠에 대한 맞춤형 추천을 제공합니다.

AI는 사용자와 항목 간의 관계를 이분 그래프로 모델링합니다. 사용자와 선호 아이템 간의 연관성을 분석하여, 관심을 가질 만한 새로운 아이템을 제안할 수 있습니다. AI는 비슷한 취향을 가진 다른 사용자의 독서 선호도를 기반으로 사용자에게 새 책을 추천하며, 이는 그래프의 가장자리로 표시됩니다.

지식 그래프

프롬프트 : AI 시스템은 지식 그래프를 활용하여 복잡한 쿼리에 답변합니다.

AI는 노드가 개체(예: 사람, 장소, 개념)를 나타내고 가장자리가 개체 간의 관계를 나타내는 지식 그래프를 사용합니다. 그래프 프롬프트를 사용하면 AI가 그래프를 탐색하여 관련 정보를 찾고 정확한 답변을 생성할 수 있습니다. AI는 지식 그래프의 가장자리를 탐색하여 연결을 식별함으로써 두 역사적 인물 간의 관계에 대한 쿼리에 응답합니다.

그래프 프롬프트는 복잡하고 상호 연결된 데이터를 기반으로 추론하고 결정을 내리는 AI의 능력을 향상시키는 강력한 프롬프트 설계 원칙입니다. 그래프 프롬프트는 그래프 데이터에 내재된 구조와 관계를 활용하여 AI가 상황에 맞게 보다 관련성이 높고 정확한 응답을 생성할 수 있도록 해줍니다. 이 접근 방식은 소셜 네트워크, 추천 시스템, 지식 그래프와 같이 복잡한 상호 의존성을 포함하는 애플리케이션에 특히 유용합니다. 그래프 프롬프트는 그래프 기반 표현 및 추론의 강점을 활용하여 AI의 인지 능력과 적응성을 크게 향상시킵니다.

멀티모달 CoT(Multimodal CoT)

Google의 Jason Wei 등이 LLM의 추론 능력을 향상시키고자 새로운 기술을 도입했습니다. 이 방법은 복잡한 문제를 더 작고 관리 가능한 단계로 나누어 언어 모델이 기존 승격 접근 방식으로는 처리할 수 없는 복잡한 추론 작업을 해결할 수 있도록 합니다. 예를 들어, 대수식의 값을 계산하는 것과 같은 복잡한 수학 문제를 해결하기 위해 언어 모델을 훈련시키고 싶다고 가정해 보죠. CoT 메시지를 사용하여 문제를 더 작고 관리 가능한 단계로 나눌 수 있습니다.

먼저 모델이 표현식의 변수와 상수를 식별하도록 유도할 수 있습니다. 그런 다음 표현식을 단순화하기 위해 작업 순서를 적용하도록 모델에 프롬프트를 표시할 수 있습니다. 다음으로 변수와 상수의 수치 값을 대체하도록 모델에 지시할 수 있습니다. 마지막으로 모델이 표현식을 평가하여 최종 결과를 얻도록 유도할 수 있습니다. CoT 프롬프트를 사용하여 언어 모델은 다단계 추론과 문제 해결 능력이 필요한 복잡한 수학 문제를 해결하는 방법을 배울 수 있습니다.

멀티모달 CoT(Multimodal CoT)는 사고 사슬 추론의 개념을 확장하는 고급 프롬프트 설계 원칙입니다. 여기서 AI 모델은 문자, 이미지, 오디오, 비디오. 이 접근 방식을 통해 AI는 다양한 정보 소스의 합성이 필요한 복잡한 추론 작업을 수행할 수 있으므로 인지 능력이 향상되고 보다 포괄적이고 상황에 맞는 정확한 응답을 제공할 수 있습니다.

멀티모달 CoT의 핵심 아이디어는 AI 모델이 여러 양식에 걸쳐 순차적 추론에 참여할 수 있도록 하는 것입니다. 전통적인 멀티모달 CoT 프롬프트에서는 문제를 일련의 중간 단계로 나누어 AI가 각 단계를 논리적으로 추론할 수 있도록 합니다. 멀티모달 CoT는 각 단계에서 다양한 양식의 데이터를 통합하여 AI가 다양한 데이터 유형의 장점을 활용하여 보다 미묘하고 정보에 입각한 결론에 도달할 수 있도록 함으로써 이를 확장합니다.

AI는 각 단계에서 사용 가능한 데이터 유형과 품질을 기반으로 추론 프로세스를 동적으로 조정할 수 있습니다. 이러한 유연성을 통해 AI는 광범위한 작업을 효과적으로 처리할 수 있습니다.

대화형 교육

프롬프트 : AI가 사용자들에게 맞춤형 학습 경험을 제공합니다.

AI는 문자 설명, 시각적 자료(다이어그램, 차트) 및 대화형 오디오 강의를 결합하여 학습을 향상합니다.

1단계: 문자를 사용하여 수학적 개념을 설명합니다.

2단계: 다이어그램과 차트(이미지)를 사용하여 개념을 설명합니다.
3단계: 대화형 오디오 수업(오디오)에 사용자의 참여를 유도합니다.

사용자는 다양한 학습 스타일에 맞춰 이해력과 기억력을 향상시키는 다중 모드 학습 경험을 받습니다.

고객 지원

프롬프트 : 고객 서비스 AI는 사용자가 전자 장치 문제를 해결하는 데 도움을 줍니다.
AI는 문자 지침, 시각적 가이드(장치 구성 요소 이미지) 및 비디오 튜토리얼을 통합하여 사용자를 지원합니다.

1단계: 문자를 통해 초기 문제 해결 단계를 제공합니다.
2단계: 문제를 식별하는 데 도움이 되는 기기 및 해당 구성 요소의 이미지(이미지)를 표시합니다.
3단계: 솔루션을 시연하는 동영상 튜토리얼(동영상)을 제공합니다.

사용자는 문제를 보다 효과적으로 해결하는 상세한 다중 모드 지원을 받습니다. 멀티모달 CoT 프롬프트는 AI 기능의 상당한 발전을 나타내며 모델이 다양한 유형의 데이터를 통합하여 복잡한 작업을 통해 추론할 수 있도록 합니다.

반사적 사고(Reflexion)

반사적 사고(Reflexion)는 반사적 사고를 통합하여 AI 모델의 인지 및 의사결정 프로세스를 향상시키는 것을 목표로 하는 프롬프트 설계 원칙입니다. 이 개념은 AI 시스템이 자신의 추론과 행동을 반영하고, 과거 반응을 분석하고, 이 분석을 사용하여 미래 성능을 향상시키는 메타인지 형태에 참여하도록 장려합니다. 반사적 사고는 지속적인 학습과 자기 개선의 순환을 촉진하여 AI 출력을 보다 안정적이고 정확하며 상황에 맞게 만드는 데 도움이 됩니다.

반사적 사고의 핵심 아이디어는 AI 모델이 추론과 반응을 자체 평가하고 개선할 수 있도록 하는 것입니다. 반사 루프를 통합함으로써 AI 시스템은 자체 출력을 평가하고, 잠재적인 오류나 최적이 아닌 결정을 식별하고, 이에 따라 향후 대응을 조정할 수 있습니다. 이 프로세스는 개인이 과거 행동을 분석하여 학습하고 미래에 더 나은 결정을 내리는 인간의 반성적 사고를 모방합니다.

반사적 사고에는 AI 모델이 자체 응답을 평가하여 정확성과 관련성을 결정하는 작업이 포함됩니다. 이러한 자체 평가는 오류와 개선 영역을 식별하는 데 도움이 됩니다. AI는 과거 상호 작용과 결과를 학습 도구로 사용합니다. 이전 응답을 반영함으로써 모델은 실수 패턴이나 성공적인 전략을 인식하고 이 지식을 향후 작업에 적용할 수 있습니다. 반사적 사고를 통해 AI 모델은 자체 분석을 기반으로 반응을 조정할 수 있습니다. 이 적응형 기능은 AI가 시간이 지남에 따라 더욱 효과적으로 추론과 행동을 지속적으로 개선하도록 보장합니다.

AI는 출력을 반영하여 실시간 또는 후속 상호 작용에서 오류를 식별하고 수정할 수 있습니다. 이 기능은 AI 성능의 신뢰성과 정확성을 유지하는 데 중요합니다. 반사적 사고는 AI가 응답의 상황적 관련성을 유지하고 향상시키는 데 도움이 됩니다. AI는 이전 상호작용의 맥락을 반영함으로써 보다 미묘하고 적절한 답변을 제공할 수 있습니다. 반사 프로세스를 투명하게 만들어 AI가 특정 결정이나 응답에 어떻게 도달했는지에 대한 통찰력을 사용자에게 제공할 수 있습니다. 이러한 투명성은 신뢰와 신뢰성을 향상시킵니다.

교육 튜터링 시스템

프롬프트 : AI는 답변에 대한 설명과 피드백을 제공하여 사용자들의 학습을 돕습니다.

AI는 사용자의 진행 상황과 자체 피드백을 반영하여 사용자가 어려움을 겪는 영역을 식별합니다. 이러한 약점을 더 잘 해결하기 위해 설명과 연습 문제를 조정합니다. AI가 성찰 분석을 기반으로 교육 전략을 지속적으로 조정함에 따라 사용자들은 개인화되고 점점 더 효과적인 개인 지도를 받습니다.

고객 서비스 챗봇

프롬프트 : 고객 서비스 챗봇이 사용자 문의 및 불만 사항을 처리합니다.

챗봇은 과거 상호 작용을 반영하여 일반적인 문제와 사용자 불만 사항을 식별합니다. 그런 다음 향후 상호 작용에서 이러한 문제를 더 잘 해결하기 위해 대응 및 문제 해결 단계를 개선합니다. 챗봇이 반성적 학습을 바탕으로 더욱 정확하고 유용한 응답을 제공함으로써 고객은 향상된 서비스 품질을 경험합니다.

방향성 자극 프롬프트(Directional Stimulus Prompting)

방향성 자극 프롬프트는 특정 방향이나 목표에 맞는 출력을 생성하도록 AI 모델을 안내하는 데 초점을 맞춘 자연어 처리(NLP)의 개념입니다. 일반적인 지침을 제공하는 기존 프롬프트와 달리 방향성 자극 프롬프트에는 AI 모델을 원하는 결과나 행동으로 유도하도록 설계된 프롬프트 전략이 포함됩니다. 이 접근 방식은 특정 측면, 스타일 또는 목표를 강조하여 생성 프로세스에 영향을 주어 AI 생성 결과물의 관련성과 품질을 향상시키는 것을 목표로 합니다.

방향성 자극 프롬프트에는 AI 모델을 특정 출력이나 동작으로 안내하는 방향성 단서 또는 자극 역할을 하는 프롬프트를 만드는 작업이 포함됩니다. 프롬프트는 창의적인 콘텐츠 생성, 사실에 기반한 질문에 대한 답변, 감정 표현 등 명시적인 목표나 방향을 염두에 두고 설계되었습니다. 각 프롬프트는 미리 정의된 목표와 밀접하게 일치하는 응답을 이끌어내기 위해 구성되었습니다.

명확한 방향이나 자극을 제공하여 AI 생성 출력의 품질과 관련성을 향상시키는 데 중점을 둡니다. 이를 통해 생성된 콘텐츠가 정확성, 정보성, 창의성, 정서 또는 기타 특정 속성 측면에서 원하는 기준을 충족하는지 확인할 수 있습니다. 방향 자극 프롬프트는 입력 데이터 또는 작업 요구 사항의 특정 측면에 주의를 집중시켜 AI 모델 동작에 영향을 미치는 것을 목표로 합니다. 이는 모델이 출력 생성 프로세스에서 특정 기능이나 특성의 우선순위를 지정하도록 권장합니다.

프롬프트는 다양한 NLP 작업 및 애플리케이션 도메인에 맞게 조정될 수 있습니다. 문자 응답 생성, 정보 요약, 창의적인 콘텐츠 구성 등 작업의 고유한 요구 사항과 원하는 결과에 맞게 방향 프롬프트가 맞춤화됩니다.

창의적인 글쓰기 보조

프롬프트 : 창의적 글쓰기 AI 도우미는 동화책 시리즈에 대한 흥미로운 단편 소설을 생성하는 임무를 맡고 있습니다. "마법의 숲을 탐험하는 모험심 넘치는 동물들이 등장하는 기발한 이야기를 만들어보세요."

프롬프트는 AI가 특정 테마(기발함, 모험), 설정(마법의 숲) 및 캐릭터(동물)에 집중하도록 지시합니다. 이는 젊은 독자의 마음을 사로잡는 상상력이 풍부한 내러티브를 생산하는 방향으로 세대 과정을 안내합니다. AI는 환상적인 설정, 생생한 동물 캐릭터, 스릴 넘치는 줄거리와 같은 요소를 통합하여 제공된 방향을 준수하는 스토리를 생성합니다. 방향성 자극 프롬프트는 스토리가 책 시리즈에 대해 원하는 창의적인 비전과 밀접하게 일치하도록 보장합니다.

마케팅 콘텐츠 생성기

프롬프트 : AI 기반 콘텐츠 마케팅 플랫폼은 새로운 친환경 생활용품 라인에 대한 홍보 기사를 생성합니다. "새로운 친환경 청소 제품의 지속 가능성 이점과 실제 사용을 강조하는 설득력 있는 기사를 작성합니다."

친환경 제품 홍보에 맞춰 지속가능성, 실용성, 설득력 있는 메시지를 주제로 강조한 프롬프트입니다. AI는 친환경 청소 제품의 환경적 이점, 유용성, 소비자 매력을 강조하는 기사를 생성합니다. 방향성 자극 프롬프트는 콘텐츠가 마케팅 목표에 부합하도록 보장하여 대상 고객에게 제품 장점을 효과적으로 전달합니다.

생각의 나무(Tree of Thoughts)

생각의 나무는 상호 연결된 아이디어, 개념 또는 작업을 나무와 유사한 계층 구조로 시각화하고 구성하기 위해 프롬프트 설계에 사용되는 개념 프레임워크입니다. 이 접근 방식은 복잡한 주제를 관리 가능한 구성 요소로 나누고 그 관계를 설명함으로써 체계적인 탐색, 세부 분석 및 포괄적인 이해를 촉진합니다. 생각의 나무의 개념은 중심 아이디어나 주요 주제가 줄기 역할을 하고 더 작은 가지(하위 주제)로 뻗어나가 나뭇잎(특정 세부 사항 또는 작업)으로 나뉘는 자연의 나무의 계층 구조에서 영감을 얻습니다. 이를 통해 다양한 관점을 탐색하고 관련 개념을 통합하여 문제 해결, 학습 또는 연구에 대한 전체적인 접근 방식을 육성할 수 있습니다.

생각의 나무는 중심 주제나 주요 아이디어에서 시작하여 하위 주제나 구성 요소로 확장되는 계층적 방식으로 정보를 구성합니다. 이 구조는 더 넓은 개념과 특정 세부 사항 간의 관계를 시각적으로 나타냅니다. 사용자는 트리 구조를 순차적으로 탐색하여 각 분기와 하위 분기를 탐색하여 관련 주제나 작업을 더 깊이 탐구합니다. 이 접근 방식은 복잡한 주제에 대한 체계적인 탐색과 심층 분석을 지원합니다. 생각의 나무는 상호 연결된 아이디어나 작업을 나타내며, 중요한 주제 내에서 다양한 구성 요소가 서로 어떻게 관련되어 있는지 보여줍니다. 이는 다양한 요소 간의 종속성과 관계를 보여줌으로써 주제에 대한 포괄적인 이해를 촉진합니다.

시각화 도구인 생각의 나무는 인지 매핑 및 개념 구성을 향상시킵니다. 이를 통해 사용자는 "큰 그림"을 볼 수 있으면서도 특정 세부 사항에 집중하여 보다 명확한 의사 소통과 의사 결정을 촉진할 수 있습니다. 생각의 나무는 교육 커리큘럼 설계, 프로젝트 계획, 브레인스토밍 세션 및 전략적 의사 결정을 포함한 다양한 상황과 목적에 맞게 조정할 수 있습니다. 유연성은 작업이나 프로젝트의 특정 요구 사항에 따라 다양한 수준의 복잡성과 세부 사항을 수용합니다.

주제: 지속가능발전목표(SDGs)

1부: 목표 1: 빈곤 퇴치
하위 항목 1.1: 빈곤의 원인
하위 부문 1.2: 빈곤 감소를 위한 경제적 개입
2부: 목표 13: 기후 행동
하위 항목 2.1: 기후 변화의 영향
하위 부문 2.2: 재생 에너지 솔루션

이 예에서 생각의 나무는 SDG와 관련된 주제를 구성하는 데 사용되며, 각 목표는 분기로, 특정 문제 또는 솔루션은 하위 분기로 사용됩니다. 이 구조는 교육자가 지속 가능한 개발이라는 더 넓은 주제 내에서 상호 연결된 주제를 다루는 포괄적인 커리큘럼을 설계하는 데 도움이 됩니다.

생각의 나무는 복잡한 주제를 관리 가능한 구성 요소로 나누어 복잡한 관계를 더 쉽게 탐색하고 이해할 수 있습니다. 상호 연결된 아이디어를 시각화함으로써 심층 탐구 및 종합 분석을 촉진하고 효과적인 학습 결과 및 연구 문의를 지원합니다. 시각화 도구로서 복잡한 정보를 명확하고 간결하게 제시하여 이해관계자 간의 효과적인 커뮤니케이션과 협업을 촉진합니다.

사용자는 체계적 사고와 문제 해결 프로세스에 참여하여 의사 결정 시 다양한 관점을 탐색하고 다양한 요소를 고려할 수 있습니다. 생각의 나무는 상호 연결된 아이디어나 작업에 대한 구조화된 탐색, 세부 분석 및 전체적인 이해를 촉진하는 프롬프트 설계 및 개념 시각화의 강력한 프레임워크입니다. 계층 구조를 활용함으로써 사용자는 복잡한 주제를 효과적으로 탐색하고, 관계를 식별하고, 정보에 입각한 의사 결정과 다양한 영역의 혁신적인 솔루션에 기여하는 통찰력을 생성할 수 있습니다.

주제: 신제품 출시

1부: 시장 조사
하위 지점 1.1: 고객 인구통계
하위 부문 1.2: 경쟁사 분석
2분기: 제품 개발
하위 브랜치 2.1: 설계 사양
하위 브랜치 2.2: 프로토타입 제작 및 테스트
3부지: 마케팅 전략
하위 부문 3.1: 대상 고객 식별
하위 브랜치 3.2: 광고 채널

이 예에서 생각의 나무는 신제품 출시와 관련된 작업과 구성 요소를 구성합니다. 각 분기는 프로젝트의 주요 측면을 나타내며 하위 분기는 각 범주

내의 특정 작업과 고려 사항을 분류합니다. 이 구조는 프로젝트 관리자와 팀 구성원이 프로젝트의 포괄적인 범위를 시각화하고 모든 관련 측면이 체계적으로 처리되도록 보장하는 데 도움이 됩니다.

자동 추론 및 도구 사용(Automatic Reasoning and Tool-use)

자동 추론 및 도구 사용은 논리적 추론 프로세스를 자율적으로 적용하고 도구나 리소스를 활용하여 복잡한 문제를 해결하거나 특정 작업을 달성하는 인공지능(AI) 시스템의 기능을 의미합니다. 이 개념은 고급 추론 알고리즘을 실용적인 도구 및 리소스와 통합하여 AI 시스템이 정보에 입각한 결정을 내리고, 문제를 해결하고, 논리적 추론 및 리소스 활용이 필요한 작업을 수행할 수 있도록 합니다.

AI 시스템은 논리적 추론 알고리즘을 사용하여 정보를 분석하고, 관계를 추론하고, 미리 정의된 규칙이나 원칙을 기반으로 결론을 도출합니다. 여기에는 연역적 추론(일반 원리에서 결론 도출)과 귀납적 추론(특정 관찰에서 일반 원칙 추론)이 포함됩니다. AI 시스템은 다양한 도구, 리소스 또는 외부 지식 소스를 활용하여 추론 및 문제 해결 능력을 향상합니다. 이러한 도구에는 관련 데이터나 계산 기능을 제공하는 데이터베이스, 지식 그래프, API 또는 도메인별 소프트웨어 애플리케이션이 포함될 수 있습니다.

AI 시스템은 사람의 개입 없이 독립적으로 추론 작업을 실행하고 도구를 활용할 수 있습니다. 이러한 자율성은 AI가 복잡한 작업을 효율적이고 효과적으로 처리할 수 있게 하여 다양한 영역에 걸쳐 의사 결정, 문제 해결 및 작업 자동화의 발전에 기여합니다. AI 시스템은 기호 논리, 확률적 추론 또는 제약 조건 충족 알고리즘과 같은 논리적 추론을 위해 알고리즘을 활용합니다. 이러한 알고리즘을 통해 AI는 정보를 체계적으로 처리하고 해석하여 정보에 입각한 결정과 조치를 취할 수 있습니다. 자동 추론 및 도구 사용은 자율 시스템(예: 센서 데이터를 기반으로 결정을 내리는 자율 주행 자동차), 의료(예: 환자를 분석하는 의료 진단 시스템)와 같은 다양한 분야에서 응용 프로그램을 찾습니다. 증상), 금융(예: 투자 결정을 내리는 알고리즘 거래 시스템) 등이 있습니다.

의료진단 시스템

프롬프트 : 의료 AI 시스템은 자동 추론을 사용하여 환자 증상, 병력 및 진단 테스트 결과를 분석합니다.

시스템은 논리적 추론 알고리즘을 사용하여 증상 패턴을 기반으로 가능한 질병이나 상태를 추론합니다. 의료 데이터베이스 및 임상 지침과 통합되어 진단 결정을 지원하고 적절한 치료 또는 추가 테스트를 권장합니다.

재무 위험 평가

프롬프트 : AI 기반 재무 위험 평가 도구는 자동 추론을 활용하여 시장 동향, 경제 지표 및 과거 데이터를 분석합니다.

이 도구는 확률적 추론 알고리즘을 적용하여 재정적 위험과 기회의 가능성을 평가합니다. 금융 데이터베이스 및 위험 모델과 통합되어 시나리오 분석을 수행하고 투자 전략을 최적화하여 변동성이 큰 시장에서 의사 결정의 정확성을 높입니다.

자동 프롬프트 엔지니어(Automatic Prompt Engineer)

자동 프롬프트 엔지니어는 자연어 처리(NLP) 작업에 사용되는 프롬프트를 자동으로 생성하고 개선하도록 설계된 고급 AI 기반 시스템을 의미합니다. 이 개념은 기계 학습 기술과 자연어 이해를 결합하여 AI 모델이 원하는 출력을 생성하거나 특정 작업을 수행하도록 효과적으로 안내하는 프롬프트를 만듭니다. 자동 프롬프트 엔지니어는 프롬프트 설계 프로세스를 간소화하고 AI 모델의 성능을 향상하며 다양한 애플리케이션에 맞춤형 NLP 솔루션 배포를 촉진하는 것을 목표로 합니다.

자동 프롬프트 엔지니어는 정교한 알고리즘과 교육 데이터를 활용하여 NLP 작업에 대한 프롬프트를 자동으로 생성, 최적화 및 개선하는 방식으로 작동합니다. 여기에는 다음과 같은 주요 측면이 포함됩니다. 시스템은 사전 정의된 목표 또는 작업을 기반으로 초기 프롬프트를 생성합니다. 이러한 프롬프트는 AI 모델이 문자 생성, 질문 답변 또는 정보 검색과 같은 원하는 출력을 이해하고 생성하도록 안내하는 입력 지침 역할을 합니다.

자동 프롬프트 엔지니어는 기계 학습 및 최적화 기술을 활용하여 프롬프트를 반복적으로 개선합니다. 생성된 프롬프트의 성능을 분석하고 AI 모델 출력 또는 사용자 상호 작용의 피드백을 기반으로 이를 조정합니다. 이 반복 프로세스는 원하는 NLP 결과를 달성하는 데 있어 프롬프트의 효과성과 관련성을 향상시키는 것을 목표로 합니다. 시스템은 특정 사용 사례, 도메인 또는 사용자 기본 설정에 맞게 프롬프트를 조정합니다. 언어의 뉘앙스, 작업 복잡성, 대상 고객과 같은 요소를 고려하여 AI 모델 성능을 최적화하고 애플리케이션 요구 사항에 맞는 프롬프트를 맞춤화합니다.

프롬프트 엔지니어는 언어 모델(예: GPT-4) 및 특수 NLP 아키텍처를 포함한 AI 모델과 원활하게 통합됩니다. 프롬프트가 모델 기능과 호환되는지 확인하고 상황에 맞게 적절하고 정확한 출력을 생성하도록 효과적으로 안내합니다.

교육 도구

프롬프트 : 교육용 AI 플랫폼은 자동 프롬프트 엔지니어를 통합하여 대화형 학습 모듈 및 평가를 위한 프롬프트를 개발합니다.

시스템은 사용자 지식을 평가하고 학습 활동을 촉진하며 과제에 대한 피드백을 제공하는 프롬프트를 생성합니다. 교육 표준, 학습 목표 및 성과 지표에 맞춰 프롬프트를 조정하여 맞춤형 학습 경험을 향상시킵니다. 프롬프트 엔지니어는 AI 기반 애플리케이션에 대한 자동화된 프롬프트 생성, 최적화 및 사용자 정의를 가능하게 하는 NLP 기술의 중추적인 발전을 나타냅니다. 프롬프트 품질, 적응성 및 AI 모델과의 통합을 향상함으로써 이 시스템은 다양한 산업 및 사용 사례에 걸쳐 효과적인 NLP 솔루션의 개발 및 배포를 가속화합니다.

마케팅 캠페인을 위한 콘텐츠 생성 도구

프롬프트 : 마케팅 대행사는 자동 프롬프트 엔지니어가 탑재된 콘텐츠 생성 도구를 활용하여 매력적인 마케팅 자료를 작성합니다.

이 도구는 클라이언트 브랜딩 및 캠페인 목표에 맞는 소셜 미디어 게시

물, 블로그 기사, 이메일 뉴스레터를 작성하기 위한 프롬프트를 생성합니다. 시장 동향, 잠재고객 선호도, 성과 분석을 기반으로 프롬프트를 개선하여 콘텐츠 참여 및 전환율을 최적화합니다. 에이전시는 메시징의 일관성과 대상 고객에게 도달하는 효과를 보장하는 AI 생성 프롬프트를 활용하여 고품질 마케팅 콘텐츠를 효율적으로 제공합니다.

자기 일관성(Self-Consistency)

프롬프트 설계의 자기 일관성은 개인이나 시스템에 제시된 작업이나 질문 내에서 일관성, 통일성 및 논리적 연속성을 유지하는 것을 의미합니다(교육부, 한국교육학술정보원, 2023). 이 원칙은 프롬프트가 명확하고 모호하지 않으며 내부적으로 일관성을 갖도록 보장하여 정확한 해석과 응답을 촉진합니다. 자기 일관성의 개념은 작업이나 질문 전반에 걸쳐 확립된 기준과 기대를 준수하는 프롬프트를 만드는 것과 관련이 있습니다.

프롬프트는 모호성을 최소화하기 위해 명확하고 정확한 언어로 구성되어야 합니다. 지침은 작업이나 질문을 명시적으로 설명해야 하며 오해의 여지가 없어야 합니다. 일관성 있는 프롬프트는 개인이 수행해야 하거나 응답해야 하는 사항을 지정하는 명확한 지침을 제공합니다. 이러한 명확성은 개인이 처음부터 작업의 범위, 목표 및 기대치를 이해하는 데 도움이 됩니다.

프롬프트 내의 작업은 논리적 순서 또는 구조를 따라야 하며 개인이 의도한 결과를 달성하기 위해 단계별로 안내해야 합니다. 이는 일관성을 유지하는 데 도움이 되며 작업의 각 부분이 전체 목표에 의미 있게 기여하도록 보장합니다. 일관성 있는 프롬프트는 개인이 수행해야 하거나 응답해야 하는 사항을 지정하는 명확한 지침을 제공합니다. 이러한 명확성은 개인이 처음부터 작업의 범위, 목표 및 기대치를 이해하는 데 도움이 됩니다.

프롬프트는 주제 또는 평가 맥락과 관련하여 사전 정의된 표준 또는 지침과 일치해야 합니다. 여기에는 사용자에게 통일된 경험을 제공하기 위한 형식, 용어 및 기대의 일관성이 포함됩니다. 혼란이나 다양한 해석을 방지하기 위해 언어나 요구 사항의 모호성을 최소화합니다. 이는 주관적인 해석의 여지가 거의 없는 정확한 표현과 명시적인 지시를 통해 달성됩니다. 일관성을 유지함으로써 메시지는 평가 또는 활동의 신뢰성과 공정성을 향상시킵니다. 사용자는 일관된 표준과 기대치를 기대할 수 있으므로 평가 시 편견이나 격차가 발생할 가능성이 줄어듭니다. 일관성 있는 프롬프트에는 피드백 또는 수정 기회가 포함될 수 있으며, 이를 통해 개인은 초기 지침이나 기준에 따라 자신의 응답을 검토할 수 있습니다. 이 반복 프로세스는 일관된 평가 표준을 기반으로 학습 및 개선을 지원합니다.

프롬프트 설계의 자기 일관성은 명확하고 일관된 프롬프트를 통해 작업이나 질문에 대한 더 나은 이해를 촉진하고 정확한 응답과 결과를 촉진합니다. 통일성과 표준 준수를 보장하면 평가의 공정성이 향상되어 사용자를 동등하고 투명하게 대우합니다. 모호성을 최소화하고 논리적 일관성을 유지함으로써 일관성 있는 프롬프트는 해석이나 실행 시 오류를 줄이는 데 도움이 됩니다. 사용자는 학습 목표를 지원하는 명확한 지침과 구조화된 작업을 통해 자신의 지식과 기술을 효과적으로 보여줄 수 있습니다. 프롬프트 설계의 자체 일관성은 평가 및 활동의 명확성, 일관성 및 공정성을 위한 기반을 구축합니다. 통일성과 논리적 진행을 유지함으로써 프롬프트는 개인이나 시스템이 작업에 의미 있게 참여할 수 있도록 하고 다양한 교육, 전문 또는 평가 맥락에서 정확한 해석, 응답 및 평가를 촉진합니다.

교육 평가 프롬프트

프롬프트 : 셰익스피어의 희곡 "햄릿"에 나오는 정의의 주제를 분석하는 에세이를 작성하세요. 본문의 구체적인 예를 통해 분석을 뒷받침하십시오.

이 프롬프트는 예상되는 내용(정의의 주제 분석)에 대한 명확한 지침을 제공하고 출처(셰익스피어의 희곡 "햄릿")를 지정함으로써 자체 일관성을 보여줍니다. 단일 주제에 초점을 맞추고 동일한 문학 작품에 대한 증거 기반 분석을 요구함으로써 전체적으로 일관성을 유지합니다.

프로그래밍 할당 프롬프트

프롬프트 : 주어진 정수의 계승을 계산하는 Python 프로그램을 개발하세요. 프로그램이 0 및 음수와 같은 극단적인 경우를 적절하게 처리하는지 확인하세요.

이 프롬프트는 특정 작업의 개요(계속 계산)를 설명하고 완전성 기준(최첨단 사례 처리)을 제공하여 프로그래밍의 자체 일관성을 보여줍니다. 사용자가 구현 전반에 걸쳐 Python 구문 및 프로그래밍 원칙을 준수하도록 요구하여 논리적 진행을 유지합니다.

지식 생성 프롬프트(Generate Knowledge Prompting)

지식 생성 프롬프트는 사려 깊은 질문과 탐구를 통해 새로운 통찰력, 아이디어 또는 솔루션의 생성을 촉진하는 데 초점을 맞춘 즉각적인 설계 원칙입니다. 이는 개인이나 AI 시스템이 신속하고 자극적인 창의성, 문제 해결 능력 및 새로운 지식 발견에 비판적으로 참여하도록 장려합니다. 이러한 접근 방식은 혁신과 독창적인 사고가 중요시되는 교육, 연구 및 전문 환경에서 필수적입니다.

지식 프롬프트 생성은 다음을 통해 개인이나 시스템이 새로운 통찰력이나 솔루션을 제공하도록 유도하는 데 중점을 둡니다. 프롬프트는 사용자들이 기존의 지혜나 기존 지식을 넘어서 탐구하도록 도전하면서 깊은 사고와 분석을 자극하도록 설계되었습니다. 지식 생성 프롬프트에는 사용자가 다양한 각도나 가능성을 탐색하도록 장려하는 개방형 질문이 포함되는 경우가 많습니다. 예를 들어, "접근성을 향상시키면서 환경에 미치는 영향을 줄이기 위해 도시 교통을 어떻게 개선할 수 있습니까?"

프롬프트 내의 질문은 다양한 관점의 고려를 장려하여 복잡한 문제나 주제에 대한 포괄적인 이해를 촉진할 수 있습니다. 프롬프트는 전체적인 사고와 다양한 관점의 통합이 필요한 복잡한 문제나 시나리오를 제시할 수 있습니다. 예를 들어, "환경 영향과 사회적 평등을 모두 다루는 도시 지역을 위한 지속 가능한 주택 솔루션을 설계합니다."

프롬프트는 혁신적인 접근 방식이나 솔루션이 필요한 개방형 질문이나 시나리오를 제시하여 창의성을 고취시키는 것을 목표로 합니다. 사용자는 연구, 데이터 또는 증거를 바탕으로 뒷받침되는 응답을 제공하여 정보에 입각한 의사 결정과 혁신을 촉진합니다. 예를 들어 "현재의 과학적 발견과 기술 발전을 기반으로 기후 변화에 대처하는 전략을 제안합니다."가 될 수 있습니다.

사용자는 정보에 입각한 응답이나 솔루션을 생성하기 위해 연구, 실험 또는 추가 조사를 수행하도록 유도됩니다. 지식 생성은 가치 독창성과 혁신적인 사고를 촉진하여 사용자들이 틀에 얽매이지 않는 솔루션이나 관점을 제안하도록 유도합니다. 예를 들어, "지속 가능성과 사회적 책임을 장려하면서 전통 산업을 파괴하는 새로운 비즈니스 모델을 고안합니다."

지식 프롬프트 생성은 창의성, 비판적 사고 및 새로운 지식 생성을 고취하는 것을 목표로 하는 프롬프트 설계의 기본 원칙입니다. 생각을 자극하는 질문을 제기하고 탐색을 장려함으로써 이러한 프롬프트는 개인과 시스템이 다양한 맥락에서 이해를 높이고 긍정적인 변화를 주도하는 혁신적인 솔루션과 통찰력을 제공할 수 있도록 지원합니다.

교육 연구 프롬프트

프롬프트 : 인공지능이 의료 서비스 제공 시스템에 미치는 영향을 조사합니다. 환자 결과를 개선할 수 있는 현재 응용 프로그램, 과제 및 잠재적인 미래 혁신을 식별합니다.

이 프롬프트는 사용자가 인공지능과 의료의 교차점을 탐색하도록 장려하고, 현재 애플리케이션을 검토하고, 과제를 식별하고, 향상된 환자 치료를 위한 혁신적인 솔루션을 제안함으로써 새로운 지식을 생성하도록 유도합니다.

과제 프롬프트

프롬프트 : 개발도상국의 농촌 지역사회를 위한 지속 가능한 정수 시스템을 설계합니다. 로컬 리소스, 환경 영향, 솔루션 확장성을 고려하세요.

이 메시지는 엔지니어가 농촌 지역 사회의 특정 요구에 맞는 실용적이고 지속 가능한 정수 시스템을 설계하여 지식을 창출하도록 요구합니다. 깨끗한 물 접근성과 관련된 복잡한 문제를 해결하는 데 있어 창의성과 문제 해결 기술을 장려합니다.

추론과 실행(ReAct, Reasoning and Acting)

추론과 실행(ReAct, Reasoning and Acting) 프레임워크는 인공지능 및 자연어 처리 분야의 새로운 접근 방식으로, AI 시스템의 의사 결정 및 조치 수행 능력을 향상시키도록 설계되었습니다. 이 프레임워크는 추론 프로세스와 행동 지향 단계를 통합하여 AI 모델이 복잡한 문제를 생각할 뿐만 아니라 추론을 기반으로 적절한 조치를 취할 수 있도록 합니다. 이러한 조합을 통해 AI 시스템은 보다 정교한 작업을 처리할 수 있으며 사용자에게 세심하고 실행 가능한 솔루션을 제공할 수 있습니다.

추론과 실행(ReAct)의 핵심 아이디어는 순차적 추론을 수행하고 추론 프로세스를 기반으로 조치를 생성할 수 있는 AI 모델을 만드는 것입니다. 전통적인 AI 모델은 추론(문제 해결, 설명 생성) 또는 행동(작업 수행, 응답 생성)에 중점을 두는 경우가 많습니다. 두 가지 측면을 결합하여 AI 시스템을 강력하게 만들고 역동적이고 복잡한 시나리오를 처리할 수 있도록 하여 이러한 격차를 해소합니다.

추론과 실행(ReAct)을 사용하면 AI 모델이 문제를 단계별로 생각하고 각 추론 단계에 따라 조치를 취할 수 있습니다. 이러한 반복적인 프로세스는 추론과 행동을 모두 개선하는 데 도움이 되어 보다 정확하고 관련성이 높은 결과를 얻을 수 있습니다. 추론과 행동을 통합함으로써 문제의 맥락을 더 잘 이해하고 이에 따라 대응을 조정할 수 있습니다. 이 기능은 대화 에이전트 및 복잡한 의사 결정 시나리오와 같이 깊은 이해가 필요한 작업에 유용합니다.

추론과 실행(ReAct)을 사용하면 AI 시스템이 새로운 정보나 피드백을 기반으로 추론과 행동을 동적으로 조정할 수 있습니다. 이러한 적응성은 AI가 진화하는 상황을 처리하고 최신 솔루션을 제공할 수 있도록 보장합니다. 이 기능은 사용자가 특정 결정이나 행동으로 이어진 논리적 단계를 볼 수 있으므로 신뢰도와 신뢰성을 향상시킵니다. AI 모델이 초기 추론을 기반으로 일련의 작업을 계획하고 더 많은 정보를 수집하거나 상황이 변경됨에 따라 계획을 조정할 수 있는 다단계 계획 및 실행을 지원합니다.

사용자 : "새 스마트폰이 충전되지 않습니다. 어떻게 해야 하나요?"

챗봇 :

"우선 충전 케이블이 제대로 연결되어 있는지 확인해 보겠습니다. 확인해 주실 수 있나요?"

사용자 : "예, 연결되었지만 여전히 충전되지 않습니다."

"그렇습니다. 다른 충전 케이블이나 포트를 사용해 보겠습니다. 시도해 보고 작동하는지 알려 주시겠어요?"

사용자 : "다른 케이블을 사용해 보았지만 여전히 작동하지 않습니다."

"시도해 주셔서 감사합니다. 배터리 문제일 수 있습니다. 설정 메뉴를 통해 빠른 진단을 실행해 보겠습니다. 다음 단계를 따르세요..."

의사 : "환자가 지속적인 기침과 발열을 앓고 있습니다. 다음 조치는 무엇입니까?"

챗봇 : "증상에 따라 호흡기 감염일 수 있습니다. 흉부 엑스레이와 전혈구수(CBC) 검사부터 시작하는 것이 좋습니다."

의사 : "엑스레이에서는 폐렴 징후가 보이지 않지만 CBC에서는 백혈구 수치가 상승한 것으로 나타났습니다." "이러한 결과를 바탕으로 바이러스 감염에 대한 감별진단을 고려해 봅시다. 인플루엔자와 같은 일반적인 바이러스에 대해서는 PCR 검사를 제안합니다."

의사 : "PCR 검사 결과 둘 다 음성으로 나왔습니다." "이런 경우는 비정형 세균감염일 가능성이 있습니다. 광범위 항생제를 처방하고 환자의 반응을 지켜보겠습니다."

이러한 예는 추론과 실행(ReAct) 프레임워크를 통해 AI 시스템이 추론과 행동을 결합하여 다양한 영역에 걸쳐 보다 효과적이고 적응적이며 상황에 맞는 솔루션을 도출할 수 있는 방법을 보여줍니다.

프롬프트 연결(Prompt Chaining)

프롬프트 연결은 주제에 대한 점진적인 탐색 또는 분석을 통해 개인 또는 AI 시스템을 안내하기 위해 여러 프롬프트 또는 질문을 순서대로 연결하는 프롬프트 설계의 전략적 접근 방식입니다. 이 방법은 이전 정보나 작업을 기반으로 학습을 지원하고, 이해를 심화하며, 포괄적인 대응을 장려하는 것을 목표로 합니다.

프롬프트 연결은 후속 프롬프트가 이전 프롬프트에서 시작된 초점을 확장하거나 개선하는 구조화된 진행 원칙에 따라 작동합니다. 개념, 문제 또는 작업에 대한 단계별 탐색을 촉진하여 사용자가 더 깊은 통찰력이나 더 자세한 분석을 할 수 있도록 안내합니다. 이 접근 방식은 교육 환경, 연구 조사, 의사 결정 프로세스 및 복잡한 문제 해결 시나리오에서 널리 사용됩니다.

아이디어나 작업의 논리적 진행을 통해 사용자를 이끌기 위해 체인의 프롬프트가 전략적으로 순서가 지정됩니다. 각 프롬프트는 이전 프롬프트에서 도출된 지식, 기술 또는 응답을 기반으로 합니다. 프롬프트 연결은 사용자가 시퀀스를 진행함에 따라 복잡성이나 깊이의 수준이 높아지는 경우가 많습니다. 이는 비판적 사고와 지식의 적용을 점진적으로 더 높은 수준으로 장려합니다.

프롬프트 연결은 특정 학습 목표 또는 목표에 맞춰 조정됩니다. 순서의 각 프롬프트는 핵심 개념을 강화하고, 특정 기술을 개발하거나, 미리 정의된 결과를 달성하는 데 도움이 됩니다. 프롬프트 연결은 구조화된 지침을 제공함으로써 학습 경험의 스캐폴딩을 지원합니다. 사용자가 복잡한 작업이나 개념을 관리 가능한 단계로 나누어 탐색하는 데 도움이 됩니다. 연결된 프롬프트는 사용자에게 이전 응답을 반성하고, 정보를 종합하거나, 주제의 다양한 측면 간의 연결을 이끌어내도록 유도할 수 있습니다. 이는 더 깊은 이해와 전체적인 사고를 촉진합니다.

프롬프트 : 줄거리의 중요한 순간에 주인공의 행동을 생각해 보세요. 이러한 행동은 그들의 성장과 변화에 대해 무엇을 드러내는가?

이 예에서 프롬프트는 이전 프롬프트를 바탕으로 소설 속 주인공의 특성에 대한 구조화된 탐색을 통해 사용자들을 안내합니다. 프롬프트 연결은 종합적인 분석, 정보의 종합, 비판적 성찰을 장려하여 궁극적으로 사용자들의 문학적 개념과 등장인물 역학에 대한 이해를 심화시킵니다. 프롬프트 연결은 다음을 통해 학습 및 문제 해결 프로세스를 향상시킵니다. 사용자는 주제나 문제를 체계적으로 탐색하여 시간이 지남에 따라 일관된 이해를 발전시킵니다. 순차적 프롬프트는 사용자가 주제에 대해 더 깊이 탐구하고 미묘한 차이를 발견하고 연관성을 만들도록 장려합니다.

프롬프트 연결의 진보적인 특성은 다양한 수준의 전문 지식과 학습 속도를 수용하여 맞춤형 지침과 과제를 제공합니다. 프롬프트 연결은 복잡한 작업을 관리 가능한 단계로 나누어 학습을 계속할 수 있는 성취감과 동기를 부여합니다. 프롬프트 연결은 여러 프롬프트를 응집력 있는 순서로 연결하여 구조화된 학습을 촉진하고 이해를 심화하며 비판적 사고를 육성하는 강력한 교육 전략입니다. 이는 학습 경험을 발판으로 삼고 개인을 포괄적인 통찰력과 솔루션으로 안내하기 위해 교육, 전문 및 연구 맥락 전반에 걸쳐 널리 적용 가능합니다.

글쓰기 과제

프롬프트 : Harper Lee의 소설 "앵무새 죽이기"에 나오는 주요 주제와 상징을 설명하세요.

프롬프트 : 애티커스 핀치(Atticus Finch)라는 캐릭터를 통해 편견과 정의라는 주제가 어떻게 묘사되는지 분석해 보세요. 분석을 뒷받침하기 위해 문자의 구체적인 예를 제공하십시오.

프롬프트 : 톰 로빈슨에 대한 애티커스 핀치(Atticus Finch)의 법정 변호가 소설 속 인종 불평등과 도덕적 용기라는 더 넓은 주제에 미치는 영향을 생각해 보세요.

프롬프트 연결은 개요부터 시작하여 애티커스 핀치(Atticus Finch)의 성격 및 인종 불의를 해결하는 데 있어 그의 역할과 관련된 특정 측면을 점진적으로 깊이 파고드는 "앵무새 죽이기" 주제에 대한 구조화된 분석을 통해 사용자들을 안내합니다.

비즈니스 사례 연구 분석

프롬프트 : 스마트폰 시장에서 소비자 선호도에 영향을 미치는 주요 요소를 식별합니다.

프롬프트 : Apple Inc.가 이러한 소비자 선호도를 활용하기 위해 마케팅 전략을 어떻게 조정했는지 평가하십시오. 성공적인 캠페인이나 제품 혁신의 사례를 제공하세요.

프롬프트 : Apple의 접근 방식을 고려하여 경쟁이 치열한 스마트폰 업계에서 시장 점유율을 확보하기 위해 삼성전자가 구현할 수 있는 전략적 이니셔티브를 추천합니다.

프롬프트 연결은 소비자 행동을 분석하고, 경쟁 전략을 평가하고, 시장 포지셔닝 및 성장을 위해 실행 가능한 권장 사항을 제안하는 일련의 프롬프트를 통해 비즈니스 분석가를 안내합니다.

프로그램 지원 언어 모델(PALM, Program-Aided Language Models)

프로그램 지원 언어 모델(PALM)은 기존 언어 모델의 장점과 프로그래밍의 정확성 및 논리를 결합한 자연어 처리(NLP)의 고급 접근 방식을 나타냅니다. 이 개념은 인간의 언어를 이해하고 생성하는 언어 모델의 능력을 활용하는 동시에 프로그래밍의 구조화되고 결정적인 특성을 통합하여 작업 성능과 출력 품질을 향상시킵니다.

프로그램 지원 언어 모델은 프로그래밍 기술과 언어 모델 기능을 통합하여 자연어 이해와 구조화된 데이터 조작이 모두 필요한 복잡한 작업을 수행합니다. 핵심 아이디어는 프로그램을 사용하여 언어 모델의 출력을 안내하거나 향상시켜 정확성, 일관성 및 특정 규칙이나 제약 조건을 준수하는 것입니다.

향상된 정밀도 및 정확성: 프로그래밍 논리를 통합함으로써 PALM은 더 높은 수준의 정밀도와 정확성을 달성할 수 있습니다. 프로그램은 제약 조건을 적용하고 계산을 수행하며 출력이 순수 언어 모델이 어려움을 겪을 수 있는 특정 기준을 충족하는지 확인할 수 있습니다.

PALM은 여러 단계, 논리적 추론 또는 특정 절차 규칙을 준수해야 하는 작업에 적합합니다. 그 예로는 수학적 문제 해결, 데이터 분석, 복잡한 쿼리 응답 등이 있습니다. PALM은 프로그램을 사용하여 프롬프트를 동적으로 생성하거나 실시간 데이터를 기반으로 동작을 조정할 수 있습니다. 이러한 상호 작용을 통해 보다 반응성이 뛰어나고 상황에 맞게 관련성이 높은 출력이 가능합니다.

프로그램은 언어 모델의 이해를 보완하기 위해 외부 데이터베이스, API 및 기타 구조화된 지식 소스를 통합할 수 있습니다. 이러한 통합을 통해 더 많은 정보를 바탕으로 정확한 대응이 가능해졌습니다. PALM은 응답을 평가하고 조정하는 프로그램을 사용하여 출력을 반복적으로 개선할 수 있습니다. 이러한 반복적인 프로세스는 생성된 콘텐츠의 품질과 신뢰성을 향상시킵니다.

명시적 프로그래밍 논리를 사용하면 PALM의 의사 결정 프로세스를 더욱 투명하고 설명 가능하게 만들 수 있습니다. 사용자는 특정 출력이 어떻게 도출되었는지 이해하고 추론 프로세스를 추적할 수 있습니다. PALM은 자연어 이해와 프로그래밍 논리의 강력한 융합을 나타내며 AI 시스템이 더 높은 정밀도, 정확성, 투명성으로 복잡한 작업을 처리할 수 있도록 해줍니다. 언어 모델의 출력을 안내하고 개선하는 프로그램을 통합함으로써 PALM은 구조화된 데이터 조작, 논리적 추론 및 특정 규칙 준수가 필요한 작업을 처리하는 데 상당한 이점을 제공합니다. 이 혁신적인 접근 방식은 교육, 금융, 데이터 분석 등의 고급 애플리케이션에 대한 새로운 가능성을 열어 AI 기반 솔루션의 기능과 안정성을 향상시킵니다.

문서 분석 및 요약

프롬프트 : "이 법률 문서를 분석하고 주요 주장, 법적 판례 및 중요한 조항에 초점을 맞춘 요약을 제공하십시오."

AI는 제시된 핵심 주장, 인용된 관련 판례, 계약 내 주요 조항을 모두 논리적이고 명확하게 구조화한 요약을 생성합니다.

맞춤형 피트니스 및 영양 계획

프롬프트 : 피트니스 앱은 PALM을 사용하여 사용자 데이터와 목표를 기반으로 개인화된 피트니스 및 영양 계획을 만듭니다.

언어 모델은 사용자와 상호작용하여 피트니스 목표, 식이 선호도, 현재 건강 상태에 대한 정보를 수집합니다. 그런 다음 프로그램은 이 데이터를 처리하여 영양 요구 사항, 운동 다양성 및 진행 전략을 고려하여 맞춤형 운동 루틴 및 식사 계획을 생성합니다. 사용자는 개인 목표와 선호도에 맞는 맞춤형 피트니스 및 영양 계획을 받습니다. 이 프로그램은 계획이 균형 있고, 실행 가능하며, 과학적으로 타당함을 보장합니다.

활성 프롬프트(Active-Prompt)

활성 프롬프트는 AI 모델과의 상호작용 과정에서 프롬프트가 적극적으로 조정되거나 개선되는 자연어 처리(NLP)의 동적 접근 방식을 나타냅니다. 변경되지 않은 정적 프롬프트와 달리 활성 프롬프트 시스템은 실시간 피드백, 사용자 응답 또는 진화하는 상황 요인을 기반으로 지속적으로 적응합니다. 이 개념은 다양한 애플리케이션에서 AI 시스템의 반응성, 적응성 및 성능을 향상시킵니다. 활성 프롬프트 시스템은 동적 프롬프트 조정 원리에 따라 작동하여 AI 모델 출력과 사용자 상호 작용을 최적화합니다. 활성 프롬프트 시스템은 사용자 입력 및 모델 출력을 실시간으로 모니터링하고 프롬프트를 조정하여 AI 동작 및 응답을 더 잘 안내합니다. 이러한 적응성은 상호 작용 전반에 걸쳐 프롬프트가 관련성과 효과적인 상태를 유지하도록 보장합니다.

이러한 시스템은 피드백 메커니즘을 통합하여 사용자 응답 및 성능 지표를 기반으로 프롬프트를 반복적으로 개선합니다. 피드백은 명시적인 사용자 평가, 암시적인 상호 작용 신호 또는 작업 완료 정확도와 같은 객관적인 기준에서 나올 수 있습니다. 활성 프롬프트 시스템은 사용자 선호도, 현재 작업 목표, 환경 조건과 같은 상황 정보를 고려합니다. 이러한 상황 인식을 통해 특정 상호 작용 상황과 사용자 요구에 맞게 프롬프트를 동적으로 맞춤화할 수 있습니다. 활성 프롬프트 시스템은 반복적 개선을 통해 프롬프트 구조, 표현 및 복잡성 수준을 최적화하여 AI 모델 이해력과 성능을 향상시킵니다. 이 반복 프로세스는 기계 학습 기술을 활용하여 과거 상호 작용 데이터와 진화하는 작업 요구 사항을 기반으로 프롬프트를 조정합니다.

고객 서비스 챗봇

챗봇 : 고객 지원을 위해 배포된 챗봇은 실시간으로 프롬프트를 조정하여 문의 사항을 처리하고 문제를 해결합니다.

챗봇은 고객 쿼리, 상호작용 기록, 해결 결과에 따라 진화하는 프롬프트를 생성합니다. 대화 흐름과 정확성을 유지하기 위해 프롬프트를 조정하여 고객 만족도를 높이고 효율성을 지원합니다. 동적 프롬프트 조정을 활용하여 다양한 애플리케이션에서 AI 상호 작용 기능을 향상시킵니다. 실시간 적응, 피드백 통합 및 상황별 민감도를 통합함으로써 이러한 시스템은 대화형 시나리오에서 사용자 경험과 AI 성능을 최적화합니다.

맞춤형 건강 도우미

챗봇 : 가상 건강 도우미는 활성 프롬프트를 활용하여 사용자와 상호 작용하고 맞춤형 건강 조언 및 권장 사항을 제공합니다.

챗봇은 사용자 입력, 병력 및 현재 건강 문제를 기반으로 진화하는 프롬프트를 생성합니다. 관련 증상을 수집하고, 위험 요인을 평가하고, 적절한 조치나 치료법을 권장하기 위해 프롬프트를 동적으로 조정합니다. 증상의 심각도나 치료 효과에 대한 사용자의 피드백은 지속적인 상호 작용 개선을 위한 즉각적인 개선을 촉발합니다.

프롬프트 유형 및 사례

"생성형 AI 의 최고점은 자동화다"
- 그래햄 쉘든 유아이패스 최고제품책임자(CPO)

· 프롬프트 16가지 유형 및 사례

- 질문에 질문하기(Asking a question) 프롬프트
- 제로샷 및 퓨샷 러닝(Zero-shot and Few-shot Learning)
    - 원샷(one-shot) 프롬프트
    - 투샷(Two-Shot)
    - 쓰리샷(three-shot) 프롬프트
- 반복적 개선 요청(Iterative refinement requests) 프롬프트
- 비교 및 대조(Comparison and contrast) 프롬프트
- 상황적(contextual) 프롬프트
- 암시적 지식 활용(Leveraging implicit) 프롬프트
- 역할 놀이(Role-playing) 프롬프트
- 인과 관계 및 추론(Causal and inferential) 프롬프트
- 자기 설명형(Self explanatory) 프롬프트
- 창의적 변형(Creative transformation) 프롬프트
- 마크다운(Mark down) 프롬프트

- 생각의 사슬(Chain of thought) 프롬프트
- 후카츠(Fukatsu) 프롬프트

프롬프트 16가지 유형 및 사례

질문에 질문하기(Asking a question) 프롬프트

"질문하기" 프롬프트는 개인으로부터 특정 정보나 통찰을 이끌어내는 데 사용되는 방법으로, 사려 깊은 응답이나 추가 탐색을 유도하는 질문을 공식화하도록 장려합니다. 핵심 개념은 명확하고 집중된 질문을 제기하여 대화나 조사를 시작하는 것입니다. 주요 기능에는 질문이 간결하고 관련성이 있으며 의미 있는 답변을 생성하는 데 도움이 되도록 질문 공식화의 명확성이 포함됩니다.

이 프롬프트는 개인이 주어진 주제에 대한 지식, 의견 또는 관점을 밝히는 것을 목표로 잘 정의되고 목적이 있는 질문을 명확하게 표현하도록 도전합니다. 이는 개인이 어떤 정보나 통찰력을 찾고 있는지, 그리고 질문이 어떻게 더 깊은 이해나 발견으로 이어질 수 있는지 고려하도록 유도함으로써 비판적 사고와 참여를 장려합니다.

또한 "질문하기" 프롬프트에는 주제, 문제 또는 시나리오의 특정 측면을 다루기 위한 질문 구성이 포함되는 경우가 많습니다. 성찰, 토론, 분석을 불러일으키는 탐구적인 질문을 하는 능력을 키워 의사소통 기술과 탐구 기반 학습을 촉진합니다.

이 프롬프트에 참여함으로써 개인은 효과적인 질문을 작성하고 호기심을 키우며 의미 있는 대화를 이끌어내는 기술을 개발합니다. 이 접근 방식은 아이디어 탐구를 장려하고, 복잡한 개념에 대한 이해를 향상시키며, 교육적,

전문적 또는 개인적 맥락에서 지식과 관점의 교환을 촉진합니다. 전반적으로 "질문하기" 프롬프트는 정보 획득 및 공유에 대한 적극적인 학습과 탐구 중심 접근 방식을 장려합니다.

건강 및 웰니스

프롬프트 : 일일 운동은 하루 종일 정신 건강과 생산성에 어떤 영향을 미치나요?

이 프롬프트에서는 개인에게 일상 생활에서의 신체 활동과 정신 건강 사이의 관계를 조사하라는 메시지가 표시됩니다. 이는 정기적인 운동이 기분, 에너지 수준, 개인 및 직업 활동의 전반적인 생산성에 미치는 영향을 숙고하도록 권장합니다.

문학에서의 비판적 사고

프롬프트 : 샐린저(J.D. Salinger)의 소설 "호밀밭의 파수꾼"에 등장하는 정체성의 주제를 탐색하는 질문을 공식화하세요. 진정성과 사회적 기대에 대한 주인공의 투쟁이 내러티브를 어떻게 형성하는지 고려하십시오.

이 프롬프트는 개인에게 문학 작품의 정체성이라는 주제를 탐구하는 질문을 공식화하도록 도전합니다. 이는 진정성 및 사회적 압력이라는 더 넓은 주제와 관련하여 주인공의 여정을 분석하도록 유도하고 문학의 성격 개발 및 주제 요소에 대한 더 깊은 이해를 촉진함으로써 비판적 사고를 장려합니다.

제로샷 및 퓨샷 러닝(Zero-shot and Few-shot Learning) 프롬프트

제로샷 및 퓨샷 학습 프롬프트는 모델이나 학습자가 최소한의 훈련 데이터를 일반화하는 능력을 테스트하도록 설계되었습니다. 제로샷 학습은 훈련 중에 사전 예제 없이 보이지 않는 클래스나 작업에 대해 예측하는 것을 포함합니다. 퓨샷 학습은 모델이 클래스나 작업당 1개에서 수십 개의 인스턴스에 이르는 소수의 예제에서 학습할 수 있도록 하여 이 개념을 확장합니다.
주요 기능에는 관련 작업이나 도메인에서 학습한 기존 지식이나 표현을 활용하고, 최소한의 데이터로 새로운 작업에 적응하기 위한 전이 학습 기술을 적용하는 것이 포함됩니다. 이러한 프롬프트는 새로운 개념이나 작업을 학습할 때 모델의 유연성과 적응성을 평가하는 데 사용되며 제한된 훈련 사례를 사용하여 효과적이고 효율적으로 일반화하는 능력을 반영합니다.

자연어 처리의 제로샷 학습

프롬프트 : 일반 문자 데이터에 대해 훈련된 언어 모델을 활용하여 "신경 장애에 대한 유전자 치료"와 같이 훈련 중에 접하지 못한 주제에 대한 의학 연구 논문의 요약을 생성합니다.

이 프롬프트는 훈련 데이터에서 한 번도 접한 적이 없는 주제인 신경 장애에 대한 유전자 치료에 관한 특정 연구 논문을 언어 모델에 요약하도록 요청합니다. 모델은 영역의 명시적인 예 없이 일관된 요약을 생성하기 위해 언어와 맥락에 대한 일반화된 이해를 적용해야 합니다.

질문 답변의 제로샷 학습

프롬프트 : 고대 문명에 대한 구체적인 교육 없이도 일반적인 지식을 바탕으로 고대사에 대한 질문에 답할 수 있는 질의응답 시스템을 개발합니다.

이 프롬프트를 사용하려면 고대 문명에 대한 구체적인 교육 사례 없이 일반 지식 기반만 사용하여 고대 역사에 대한 질문에 대답하는 질의응답 시스템이 필요합니다. 시스템은 역사적 맥락과 사건에 대한 이해를 바탕으로 답을 추론해야 하며, 역사 영역에서 제로샷 학습 능력을 입증해야 합니다.

원샷(one-shot) 프롬프트

"원샷" 프롬프트는 즉각적인 참여와 응답을 위해 단일 작업, 질문 또는 과제를 제시하도록 설계된 간결하고 집중적인 접근 방식입니다. 핵심 개념은 명확하고 단일한 지시를 제공하는 데 중점을 두며 개인이 여러 구성 요소나 복잡성 없이 프롬프트를 직접 처리하도록 요구합니다. 주요 특징으로는 목적의 명확성과 즉각적인 조치를 촉진하는 프롬프트의 단순성과 직설성이 있습니다.

이 프롬프트는 개인이 단일 맥락이나 참조 프레임 내에서 제시된 작업이나 질문에 효과적으로 응답하도록 도전합니다. 효율성과 아이디어를 간결하게 전달하는 능력을 강조하면서 직접적이고 구체적인 대응을 장려합니다. 또한 "원샷" 프롬프트에는 쉽게 이해하고 실행 가능한 방식으로 구성된 특정 프롬프트나 질문이 포함되는 경우가 많습니다. 여기에는 모호성을 최소화하고 문제 해결이나 의사 결정에 대한 집중적인 접근 방식을 촉진하는 명확한 지침이나 지침이 포함될 수 있습니다.

이 프롬프트에 참여함으로써 개인은 정의된 범위 내에서 신속한 분석, 간결한 의사소통 및 효과적인 의사 결정 기술을 개발할 수 있습니다. 이 접근 방식은 사고의 명확성과 결단력 있는 행동을 장려하여 개인이 다양한 교육적, 전문적 또는 개인적 맥락에서 제시되는 작업이나 과제에 효율적으로 대응할 수 있도록 준비합니다. 전반적으로 "원샷" 프롬프트는 즉각적인 참여와 단일 프롬프트 또는 질문에 대한 타겟 응답을 위한 간단한 프레임워크를 제공합니다.

비판적 사고

프롬프트 : 십대의 대인 커뮤니케이션 기술에 소셜 미디어가 미치는 영향을 평가합니다.

이 프롬프트는 소셜 미디어가 특정 인구통계, 즉 십대의 대인 커뮤니케이션 기술에 미치는 영향을 평가하는 데 초점을 맞춘 단일 작업을 제시합니다. 참가자는 이러한 맥락에서 소셜 미디어가 의사소통 능력에 어떻게 영향을 미치는지 분석하고 평가해야 하며 프롬프트의 범위와 목표를 간결하게 다루는 직접적인 응답이 필요합니다.

윤리 논쟁

프롬프트 : 작물 수확량을 높이기 위해 농업에 유전 공학을 사용하는 것에 대해 찬성 또는 반대 주장을 펼칩니다.

이 메시지는 농작물 수확량을 높이기 위해 농업에서 유전 공학을 사용하는 것에 대해 찬성 또는 반대하는 명확한 선택을 제시합니다. 참가자는 윤리적 고려 사항, 과학적 증거 및 잠재적인 사회적 영향을 기반으로 입장을 취하고 뒷받침하는 주장을 제공하여 특정 문제에 대해 집중적인 토론에 참여할 수 있는 능력을 입증해야 합니다.

투샷(Two-Shot)

"투샷(Two-Shot)" 프롬프트는 개인이 서로 다른 두 가지 관점이나 차원에서 주제나 문제를 탐색하고 분석하도록 장려하기 위해 고안된 구조화된 접근 방식입니다. 핵심 개념은 프롬프트의 두 가지 대조적이거나 보완적인 측면을 제시하여 개인이 논쟁의 양쪽 측면을 고려하고, 서로 다른 관점을 비교하거나, 원인과 결과 관계를 분석하도록 유도하는 것입니다. 주요 기능에는 프롬프트 내의 두 구성 요소에 대한 명확한 설명이 포함되어 있어 집중적인 탐색과 비판적 사고를 촉진합니다.

이 프롬프트는 개인이 두 가지 특정 렌즈를 통해 제시된 주제를 조사하도록 도전하여 분석의 깊이와 미묘한 이해를 장려합니다. 이는 개인이 두 구성 요소 간의 연결, 대조 또는 상호 관계를 탐색하도록 유도하여 주제에 대한 포괄적인 평가를 촉진합니다. 또한 "2-Shot" 프롬프트에는 제목, 중요 항목 또는 순차적 표시를 통한 구조화된 구성이 포함되어 명확성을 높이고 체계적인 탐색을 촉진하는 경우가 많습니다. 이는 개인이 주제의 다양한 측면을 고려하도록 요구함으로써 균형 잡힌 관점을 장려하며, 이는 균형 잡힌 통찰력과 정보에 입각한 결론으로 이어질 수 있습니다.

이 프롬프트에 참여함으로써 개인은 정보를 종합하고, 대조되는 관점을 평가하고, 주제의 다양한 측면 간의 연결을 그리는 기술을 개발합니다. 이러한 접근 방식은 비판적 사고, 분석적 추론, 미묘한 관점을 효과적으로 표현하는 능력을 장려합니다. 전반적으로 "투샷" 프롬프트는 이중 초점 접근 방식을 통해 복잡한 주제나 문제를 탐구하기 위한 구조화된 프레임워크를 제공하여 더 깊은 이해와 사려 깊은 분석을 촉진합니다.

의료 윤리

프롬프트 : 의료 분야에서 안락사와 의사 조력 자살(PAS)의 윤리적 영향을 평가합니다. 환자의 자율성에 대한 주장과 임종 의사결정 시 생명의 신성함에 관련된 윤리적 우려를 비교하고 대조합니다.

이 프롬프트에서 개인은 환자의 자율성과 생명의 신성함이라는 두 가지 윤리적 관점에서 안락사와 의사 조력 자살을 둘러싼 윤리적 논쟁을 탐구합니다. 참가자들은 환자의 고통을 끝낼 권리를 지지하는 주장과 삶의 가치 및 잠재적인 사회적 영향에 대한 윤리적 우려를 분석합니다. 이러한 이중 초점 접근 방식은 의료 분야의 복잡한 윤리적 딜레마에 대한 비판적 조사를 장려합니다.

환경 보전

프롬프트 : 도시 계획의 지속 가능한 개발 관행과 보호 지역의 생물 다양성 보존 전략을 논의합니다. 자연 서식지 보존과 도시 환경에 녹색 인프라를 통합하는 것의 이점과 과제를 비교합니다.

이 프롬프트는 개인이 보호 지역의 생물 다양성 보존과 도시 계획의 지속 가능한 개발이라는 두 가지 별개의 렌즈를 통해 환경 보존 전략을 검토하도록 유도합니다. 참가자들은 도시 환경의 지속 가능성을 높이기 위해 자연 서식지 보존과 녹색 인프라 구현의 이점과 과제를 분석합니다. 이러한 접근법을 비교함으로써 그들은 보전 목표와 도시 개발 요구 사이의 균형을 맞추는 복잡성을 탐구합니다.

쓰리샷(three-shot) 프롬프트

쓰리샷(three-shot)는 구조화된 접근 방식을 통해 다양한 관점이나 차원에서 주제나 문제를 탐색하도록 설계된 기술입니다. 핵심 개념은 프롬프트와 관련된 세 가지 뚜렷한 측면, 관점 또는 측면을 제시하고 개인이 각 구성 요소를 포괄적으로 분석하도록 장려하는 것입니다. 주요 특징은 프롬프트를 세 부분으로 구조화하여 복잡한 주제에 대한 체계적인 탐색과 이해를 용이하게 한다는 것입니다.

이 프롬프트는 개인이 제시된 주제의 다양한 각도나 차원을 고려하여 비판적 사고와 전체적인 분석을 촉진하도록 도전합니다. 이는 개인이 각 "샷" 또는 구성 요소를 독립적으로 검사하도록 유도하는 동시에 세 부분에 걸쳐 비교, 대조 또는 통합적 통찰력을 장려합니다. 또한 "3-Shot" 프롬프트에는 제목, 중요 항목 또는 일련 번호 매기기를 통해 각 부분을 명확하게 설명하는 경우가 많아 명확성과 구성이 향상됩니다. 이는 개인이 프롬프트의 특정 측면을 탐구하도록 안내하여 주제에 대한 포괄적인 범위를 보장함으로써 탐색의 깊이를 촉진합니다.

이 프롬프트에 참여함으로써 개인은 정보를 종합하고, 다양한 관점을 평가하고, 복잡한 문제나 개념의 다양한 구성 요소 간의 연결을 그리는 기술을 개발합니다. 이 접근 방식은 철저한 분석과 미묘한 이해를 장려하여 개인이 균형 잡힌 관점과 정보에 입각한 의사 결정 기술을 가지고 문제에 접근할 수 있도록 준비시킵니다. 전반적으로 "3단계" 프롬프트는 다각적인 주제나 문제에 대한 구조화된 탐색과 더 깊은 통찰력을 촉진합니다.

환경 지속 가능성

프롬프트 : 생태학적 영향, 경제적 타당성, 사회적 형평성이라는 세 가지 관점에서 환경 지속 가능성의 개념을 탐구합니다. 각 관점이 전 세계적으로 지속 가능한 개발 목표를 달성하는 데 어떻게 기여하는지 토론하세요.

이 메시지는 개인이 생태학적 영향, 경제적 타당성, 사회적 형평성이라는 세 가지 별개의 렌즈를 통해 환경 지속 가능성을 조사하도록 요구합니다. 참가자들은 전 세계적으로 지속 가능성을 촉진하기 위한 정책, 관행 및 이니셔티브에 각 관점이 어떻게 영향을 미치는지 분석합니다. 이러한 구조화된 접근 방식은 환경 관리를 형성하는 상호 연결된 요소에 대한 포괄적인 이해와 비판적 평가를 장려합니다.

기술과 사회

프롬프트 : 인공지능(AI)이 사회에 미치는 영향을 윤리적 고려 사항, 경제적 영향, 기술 발전이라는 세 가지 측면에서 평가합니다. 다양한 분야의 AI 채택과 관련된 기회와 과제에 대해 논의합니다.

이 프롬프트에서 개인은 AI 윤리와 관련된 윤리적 고려 사항, 일자리 대체 및 경제 성장 측면에서 경제적 영향, 기술 발전을 주도하는 세 가지 차원을 통해 인공지능(AI)이 사회에 미치는 다면적인 영향을 탐구합니다. AI 혁신. 이러한 관점을 검토함으로써 참가자는 AI 통합의 복잡성과 사회, 경제 및 기술 환경에 대한 광범위한 영향에 대한 통찰력을 얻습니다.

반복적 개선 요청(Iterative refinement requests) 프롬프트

"반복적 개선 요청" 프롬프트는 개인이 반복적인 개선 주기를 통해 피드백을 찾고 통합하도록 장려하여 지속적인 개선과 개발을 촉진하는 데 사용되는 기술입니다. 핵심 개념은 건설적인 피드백과 제안을 기반으로 작업을 수정하고 개선하는 반복적인 프로세스를 중심으로 이루어집니다. 주요 기능에는 개인이 적극적으로 의견을 구하고 이를 비판적으로 평가하며 작업 품질을 향상시키기 위해 변경 사항을 구현하는 피드백에 대한 응답성을 강조하는 것이 포함됩니다.

이 프롬프트는 개인이 반성, 수정, 개선의 주기에 참여하고 점진적인 개선을 달성하기 위해 여러 차례의 피드백을 반복하도록 요구합니다. 이는 비판에 대한 개방성과 확인된 개선 영역을 기반으로 작업을 수정하려는 의지를 장려함으로써 성장 사고방식을 촉진합니다. 또한 "반복적 개선 요청" 프롬프트에는 동료, 멘토 또는 전문가로부터 목표 피드백을 도출하기 위해 고안된 특정 지침이나 질문이 포함되는 경우가 많습니다. 개인이 구조화된 방식으로 강점, 약점 및 개선 기회를 논의함에 따라 협업과 건설적인 대화가 촉진됩니다.

이 프롬프트에 참여함으로써 개인은 피드백에 대응하는 탄력성과 적응성을 개발하고 다양한 관점을 통합하고 작업을 반복적으로 개선하는 능력을 연마합니다. 이러한 접근 방식은 다양한 분야와 분야에 걸쳐 전문적인 성장과 창의적인 개발에 필수적인 지속적인 학습과 개선의 문화를 조성합니다.

쓰기

프롬프트 : 필수 예방접종 정책에 대해 주장하거나 반대하는 설득력 있는 에세이 초안을 작성하세요. 초안을 동료와 공유하고 주장의 명확성, 증거 사용 및 전반적인 설득력에 대한 피드백을 요청하세요. 받은 피드백을 바탕으로 에세이를 수정하고 추가 개선을 모색하세요.

이 프롬프트는 개인이 논쟁의 여지가 있는 주제에 대한 에세이의 초기 초안을 작성하고, 동료나 강사로부터 피드백을 구하고, 자신의 주장과 프레젠테이션을 반복적으로 개선하도록 권장합니다. 구조, 증거, 설득력 있는 기법에 대한 피드백을 통합함으로써 참가자는 여러 번의 반복을 통해 에세이의 효과를 높일 수 있습니다.

연구 제안

프롬프트 : 소셜 미디어가 청소년의 정신 건강에 미치는 영향에 대한 연구 제안을 개발합니다. 연구 질문, 방법론, 이론적 틀에 대한 피드백을 얻기 위해 연구 멘토나 위원회에 제안서를 제출하세요. 피드백을 바탕으로 제안서를 수정하여 연구 설계와 목표 명확성을 강화하세요.

이 프롬프트는 개인이 관련 문제를 다루는 연구 제안 초안을 작성하고,

연구 방법론 및 이론적 토대에 대한 전문가 피드백을 구하고, 제안을 반복적으로 개선하도록 요구합니다. 명확성, 타당성 및 엄격함에 대한 피드백을 통합함으로써 참가자는 여러 개정 주기에 걸쳐 제안된 연구의 품질과 관련성을 향상시킬 수 있습니다.

비교 및 대조(Comparison and contrast) 프롬프트

"비교 및 대조" 프롬프트는 개인이 둘 이상의 주제, 개념 또는 현상 간의 유사점과 차이점을 분석하도록 유도하여 이해를 심화시키기 위해 고안된 기술입니다. 핵심 개념은 유사점을 강조하여 공통 특성을 식별하고 차이점을 대조하여 고유한 속성을 식별하는 것입니다. 주요 특징에는 정보의 비판적 분석 및 종합에 대한 강조가 포함되며, 이는 개인이 공유된 특성과 독특한 특징을 모두 조사하도록 유도합니다.

이 프롬프트는 개인이 비교 사고에 참여하도록 도전하여 특성, 행동, 기능 또는 역사적 맥락과 같은 다양한 차원에 걸쳐 주제 간의 관계를 체계적으로 탐구합니다. 이는 아이디어를 비교 및 대조 범주로 명확하게 구성하도록 요구하고 결과를 제시할 때 명확성과 일관성을 조성함으로써 구조화된 사고를 장려합니다. 또한 "비교 및 대조" 프롬프트에는 유사점과 차이점의 중요성을 평가하는 작업이 포함되는 경우가 많으며, 이는 비교 대상의 성격에 대한 더 깊은 통찰력을 얻을 수 있습니다. 이는 개인이 다양한 유사점과 차이점의 중요성을 평가하고 증거와 논리적 추론을 기반으로 결론을 도출하도록 장려함으로써 분석 기술을 장려합니다.

이 프롬프트에 참여함으로써 개인은 정보를 종합하고, 정보에 입각한 판단을 내리고, 문학, 역사, 과학 등 다양한 분야의 복잡한 관계를 이해하는 데 필수적인 비판적 사고 능력을 개발합니다. 전반적으로 비교와 대조의 렌즈를 통해 사려 깊은 분석을 장려함으로써 주제에 대한 더 깊은 이해를 촉진합니다.

문학

프롬프트 : 셰익스피어의 "오델로"와 에밀리 브론테의 "폭풍의 언덕"에 나오는 사랑과 배신의 주제를 비교하고 대조해 보세요.

이 프롬프트에서는 개인이 사랑과 배신이라는 주제가 두 가지 다른 문학 작품에서 어떻게 묘사되는지 분석하고 대조해야 합니다. 그들은 캐릭터 동기, 줄거리 전개, 작가가 이러한 주제를 전달하기 위해 사용하는 서술 기법의 유사점과 차이점을 탐구할 것입니다. 이 연습은 다양한 문학적 맥락에 걸쳐 복잡한 인간 감정과 관계에 대한 비판적 분석을 장려합니다.

기록

프롬프트 : 제1차 세계 대전과 제2차 세계 대전의 원인과 결과를 비교하고 대조해 보세요.

이 프롬프트에는 제1차 세계 대전과 제2차 세계 대전의 발발로 이어지는 요인과 각각의 요인이 글로벌 정치, 경제, 사회에 미치는 영향에 대한 분석이 필요합니다. 참가자들은 지정학적 긴장의 유사점과 동맹, 전쟁 전술 및 두 전쟁의 결과의 차이점을 확인하게 됩니다. 이 연습은 주요 글로벌 갈등이 세계사에 미치는 영향에 대한 역사적 분석과 이해를 장려합니다.

상황적(contextual) 프롬프트

"상황별" 프롬프트는 특정 상황이나 실제 시나리오 내에서 작업, 질문 또는 과제를 배치하여 학습 및 문제 해결을 용이하게 하도록 설계되었습니다. 핵심 개념은 학습 과정에 대한 관련성과 적용을 제공하여 개인이 의미 있는 맥락에서 지식을 이해하고 적용할 수 있도록 보장하는 것입니다. 주요 기능에는 프롬프트를 실제 상황과 일치시키는 것이 포함되어 있어 더 깊은 이해, 비판적 사고 및 개념의 실제 적용을 촉진합니다.

이는 개인이 배경 정보, 환경 조건, 이해관계자의 관점, 주어진 상황 내에서 의사 결정이나 문제 해결에 영향을 미치는 관련 제약 조건 등의 요소를 고려하도록 요구합니다. 이는 이론적 지식을 어떻게 효과적으로 조정하고 적용하여 실제적인 과제를 해결하거나 특정 목표를 달성할 수 있는지에 대한 분석을 장려합니다. 또한 "상황별" 프롬프트에는 실제 세계의 복잡성을 반영하는 요소가 포함되어 개인이 불확실성, 윤리적 고려 사항 및 학제간 접근 방식을 탐색해야 하는 경우가 많습니다. 다양한 분야의 지식을 통합하고 이를 적용하여 복잡한 문제를 해결하거나 정보에 입각한 결정을 내림으로써 학제간 사고를 육성합니다.

이 프롬프트에 참여함으로써 개인은 현실적인 환경에서 문제에 직면하고 대응할 때 상황에 맞는 추론, 적응성 및 비판적 성찰 기술을 개발합니다. 이 접근 방식은 지식의 실질적인 관련성과 적용을 강조하고 개인이 다양한 전문적, 학문적, 개인적 맥락에서 자신의 기술을 효과적으로 적용할 수 있도록 준비함으로써 더 깊은 학습 결과를 촉진합니다.

비즈니스 전략

프롬프트 : 당신이 운송 부문에 혁신을 가져오려는 기술 산업 스타트업의 CEO라고 상상해 보십시오. 경쟁 우위를 유지하면서 지속 가능한 관행을 통합하는 비즈니스 전략을 개발하십시오. 계획 시 시장 동향, 규제 환경, 소비자 기대치를 고려하세요.

이 프롬프트는 개인이 기술 및 운송 부문에서 실제 문제에 직면한 CEO의 역할을 맡게 됩니다. 이를 위해서는 지속 가능한 비즈니스 관행에 대한 이론적 지식을 시장 역학 및 규제 제약과 같은 실질적인 고려 사항과 통합해야 합니다. 참가자들은 상황에 맞는 프레임워크 내에서 지속 가능성과 혁신의 균형을 맞추는 전략 계획을 개발합니다.

공공 정책

프롬프트 : 도시 지역의 청년들의 예방접종 활용을 촉진하기 위한 공중 보건 캠페인을 설계합니다. 캠페인 전략에서 문화적 다양성, 의료 서비스 접근성, 소셜 미디어 영향을 다루어 효율성을 극대화하세요.

이 메시지는 개인이 도시 환경 내 특정 인구통계에 맞는 공중 보건 개입을 만들도록 요구합니다. 백신 접종에 대한 주저함을 효과적으로 해결하는 타겟 캠페인을 설계하려면 문화적 규범, 의료 접근성, 디지털 커뮤니케이션 동향 등 상황적 요인을 고려해야 합니다.

암식적 지식 활용(Leveraging implicit) 프롬프트

"암시적 활용" 프롬프트는 쉽게 표현되거나 의식적으로 접근할 수 없는 개인의 암묵적 지식, 가정 또는 기술을 활용하도록 설계된 기술입니다. 핵심 개념은 개인이 소유하고 있지만 명시적으로 인식할 수 없는 잠재의식 또는 암묵적 지식을 발견하고 활용하는 것입니다. 혁신적인 문제 해결과 의사 결정으로 이어질 수 있는 직관적인 통찰력의 성찰과 탐색을 강조하는 것이 주요 특징입니다.

이 프롬프트는 개인이 자신의 행동과 결정에 영향을 미치는 본능, 직감 또는 뿌리 깊은 관행에 대해 성찰하도록 도전합니다. 이는 자신의 행동과 결과를 형성하는 기본 패턴, 편견 또는 직관을 식별하도록 장려하여 자기 인식을 촉진하고 개인의 강점과 한계에 대한 더 깊은 이해를 촉진합니다. 또한, "암시적 활용" 프롬프트에는 개인이 잠재의식적인 생각과 감정에 접근하도록 유도하는 성찰적 글쓰기, 안내 명상 또는 창의적인 연습과 같은 기술이 포함되는 경우가 많습니다. 암묵적인 지식을 활용하여 복잡한 문제에 대한 새로운 아이디어나 접근 방식을 생성함으로써 창의성과 틀에 얽매이지 않는 사고를 육성합니다.

이 프롬프트에 참여함으로써 개인은 자신의 암묵적인 지식과 통찰력을 인식하고 활용하는 기술을 개발하며, 이는 보다 효과적인 의사 결정, 혁신 및 개인적 성장으로 이어질 수 있습니다. 이 접근 방식은 직관과 합리적 분석 사이의 더 깊은 연결을 촉진하여 의식적 프로세스와 잠재의식적 프로세스를 모두 통합하는 문제 해결에 대한 균형 잡힌 접근 방식을 장려합니다. 전반적으로 암시적 프롬프트를 활용하면 개인의 지식과 경험의 숨겨진 깊이를 활용하여 인지적 유연성과 창의성이 향상됩니다.

리더십 개발

프롬프트 : 귀하가 직면한 어려운 리더십 상황에 대해 생각해 보십시오. 상황을 성공적으로 헤쳐나가기 위해 사용한 직관적인 전략이나 행동을 설명하세요. 리더로서의 효율성을 높이기 위해 이러한 암묵적 리더십 기술을 어떻게 육성하고 활용할 수 있습니까?

이 프롬프트에서는 개인이 리더십 역할에 대한 자신의 경험을 되돌아봅니다. 성공에 기여한 암묵적인 전략이나 행동을 인식하고 분석함으로써 참가자는 이러한 기술을 더욱 개발하고 미래 리더십 시나리오에 적극적으로 적용하여 성장과 적응성을 촉진하는 방법을 모색할 수 있습니다.

충돌 해결

프롬프트 : 효과적으로 중재했거나 해결한 갈등을 회상해 보세요. 긍정적인 결과를 촉진하는 데 도움이 된 무언의 단서, 감성 지능 또는 암묵적인 이해를 고려하십시오. 다양한 환경에서 갈등 해결 전략을 개선하기 위해 이러한 암시적 기술을 어떻게 활용할 수 있습니까?

이 프롬프트의 참가자는 갈등 관리에 대한 자신의 경험을 반영합니다. 성공적인 갈등 해결에 기여한 암시적 단서, 감성 지능 또는 무언의 역동성을 식별하고 이해함으로써 개인은 접근 방식을 개선하고 다양한 개인적 또는 직업적 맥락에서 갈등을 처리하기 위한 도구 키트를 확장할 수 있습니다.

역할 놀이(Role-playing) 프롬프트

"역할극" 프롬프트는 개인이 특정 역할이나 캐릭터를 맡는 시뮬레이션 시나리오에 몰입하여 학습과 이해를 향상시키는 데 사용되는 기술입니다. 핵심 개념은 허구적이거나 현실적인 맥락에서 적극적인 참여를 통한 경험적 학습을 중심으로 이루어집니다. 주요 특징에는 자신의 정체성이나 관점과 다를 수 있는 역할을 채택하는 것이 포함되어 있으며, 이는 공감, 관점 수용, 다양한 태도와 행동에 대한 탐구를 장려합니다.

이 메시지는 개인이 역사적 인물, 가상의 페르소나 또는 전문적 역할 등 할당된 역할을 구현하고 해당 캐릭터로서 상호 작용이나 의사 결정에 참여하도록 도전합니다. 상황에 맞는 환경에서 지식과 기술을 적용할 수 있는 기회를 제공함으로써 체험 학습을 촉진하며, 종종 참여자들에게 할당된 역할의 관점에서 문제를 탐색하고, 갈등을 협상하거나, 문제를 해결하도록 요구합니다.

또한 "역할극" 프롬프트에는 상호 작용 및 결과를 위한 단계를 설정하는 구조화된 지침이나 시나리오가 포함되는 경우가 많습니다. 이는 개인이 상황에 따른 프롬프트에 반응하고, 관점을 명확히 하고, 다른 사람과 인격적으로 상호 작용함으로써 창의성과 즉흥성을 육성합니다. 이 접근 방식은 참가자들이 다양한 관점을 탐구하고 역할극 맥락 내에서 자신의 행동의 결과를 고려하면서 대인 관계 기술, 의사소통 능력 및 비판적 사고를 배양합니다.

이 프롬프트에 참여함으로써 개인은 이론과 실제 적용을 연결하는 몰입형 경험을 통해 복잡한 문제, 대인 관계 역학 및 전문적 책임에 대한 더 깊은 이해를 발전시킵니다. 전반적으로, 역할극은 다양한 교육, 훈련 및 전문성 개발 맥락에서 적극적인 학습, 공감 개발 및 기술 향상을 촉진합니다.

비즈니스 시뮬레이션

프롬프트 : 공급업체와 소매업체 간의 비즈니스 협상 시나리오 역할극을 해보세요. 공급업체의 영업 담당자와 소매업체의 구매 관리자 역할을 맡습니다. 가격, 배송 일정, 제품 품질 등의 조건을 협상하여 상호 이익이 되는 합의에 도달합니다.

참가자는 현실적인 비즈니스 협상을 시뮬레이션하고 의사소통 기술을 연습하고 문제 해결 및 전략적 의사 결정을 내리는 전문적인 역할을 맡습니다. 협상 역학을 직접 경험함으로써 그들은 이해 상충을 탐색하고, 관계를 구축하고, 비즈니스 환경에서 협업 결과를 달성하는 방법을 배웁니다.

교육 훈련

프롬프트 : 사용자의 성과와 행동에 대해 논의하기 위해 학부모-교사 회의 역할극을 해보세요. 부모와 교사의 역할을 맡아 문제를 해결하고, 목표를 설정하고, 개선을 위한 전략을 개발합니다.

교육자 또는 교육자가 되기 위해 훈련을 받는 사용자는 모의 학부모-교사 회의에 참여하여 효과적인 의사소통, 공감, 갈등 해결 기술을 연습합니다. 두 관점의 역할극을 통해 민감한 대화를 관리하고, 가족과 협력하고, 건설적인 대화와 목표 설정을 통해 사용자의 성공을 지원하는 방법을 배웁니다.

인과 관계 및 추론(Causal and inferential) 프롬프트

'인과 및 추론' 프롬프트는 개인에게 인과 관계를 분석하고 증거나 관찰을 바탕으로 추론을 도출하도록 유도하여 이해와 비판적 사고를 심화하는 데 사용되는 기술입니다. 핵심 개념은 인과 관계를 식별하고 주어진 정보로부터 논리적 추론을 하는 것입니다. 주요 특징에는 현상이나 사건의 직간접적 원인을 모두 식별하는 데 중점을 두어 복잡한 상황을 분석하는 데 구조화된 접근 방식을 장려하는 것이 포함됩니다.

이 프롬프트는 개인이 한 변수가 다른 변수에 어떻게 영향을 미치는지 또는 특정 행동의 결과와 같은 인과 관계의 의미를 고려하도록 도전합니다. 이는 개인이 이용 가능한 증거를 바탕으로 결론을 도출하도록 요구함으로써 추론적 사고를 촉진하며, 종종 일반 원칙에서 특정 사례로 또는 그 반대로 추론하는 과정을 포함합니다. 개인은 증거의 강도를 평가하고 대안적인 설명이나 결과를 고려해야 하므로 이 접근 방식은 분석 기술을 육성합니다.

또한 "인과관계 및 추론" 프롬프트에는 논리적으로 타당하고 증거에 의해 뒷받침되는 주장이나 설명을 구성하는 경우가 많습니다. 이는 추론의 명확성과 결론을 효과적으로 전달하는 능력을 장려합니다. 이 프롬프트에 참여함으로써 개인은 복잡한 현상에 대한 더 깊은 이해를 개발하고 인과 관계 및 추론된 결과를 기반으로 정보에 입각한 결정을 내리는 능력을 향상시킵니다. 전반적으로 다양한 상황에서 문제 해결과 의사 결정에 필수적인 비판적 사고 능력을 향상시킵니다.

경제 정책

프롬프트 : 최저 임금 인상이 지역 경제의 고용률에 미치는 영향을 평가합니다. 인과관계 추론을 제공하고 잠재적인 경제적 결과를 추론합니다.

인과 분석

원인: 최저임금 인상은 기업의 인건비를 증가시킵니다.

효과: 기업에서는 비용을 상쇄하기 위해 고용을 줄이거나 직원 근무 시간을 줄일 수 있습니다.

추론: 최저 임금 인상은 단기적으로 일자리 감소로 이어질 수 있지만 소비자 지출을 증가시켜 잠재적으로 장기적으로 경제 성장을 자극할 수도 있습니다.

과거 분석

프롬프트: 유럽 산업 혁명의 원인과 결과를 평가합니다. 인과관계를 도출하고 사회적 변화를 추론해 보세요.

인과 분석

원인: 기술 발전과 농업 경제에서 산업 경제로의 전환.

효과: 도시화, 공장 노동력 증가, 생산량 증가.

추론: 산업 혁명은 중산층의 증가, 도시 빈곤, 사회주의와 같은 새로운 정치 이념 등 사회 경제적 변화를 가져왔습니다.

이러한 예는 "인과관계 및 추론" 프롬프트가 개인에게 인과관계를 분석하고, 그 의미를 이해하고, 증거와 논리적 추론을 기반으로 정보에 입각한 결론을 도출하도록 유도하는 방법을 보여줍니다.

자기 설명형(Self explanatory) 프롬프트

"자체 설명" 프롬프트는 작업, 질문 또는 과제를 명확하고 직접적인 방식으로 제시하여 추가 설명이나 지침의 필요성을 최소화하도록 설계된 기술입니다. 핵심 개념은 본질적으로 이해 가능하고 직관적인 프롬프트를 제공하는 데 중점을 두고 있으며, 이에 참여하는 개인의 해석이나 설명을 최소화해야 합니다. 주요 기능에는 언어와 구조의 명확성이 포함되어 프롬프트 자체가 목표, 기대치 및 매개변수를 효과적으로 전달하도록 보장합니다.

이 메시지는 개인이 제시된 작업이나 질문을 즉시 파악하도록 유도하여 혼란이나 모호함 없이 당면한 작업에 직접 집중할 수 있도록 합니다. 제공된 명확한 지시에 따라 개인이 독립적으로 활동을 시작하고 완료할 수 있도록 함으로써 효율성과 자율성을 촉진합니다. 또한 "자기 설명" 프롬프트에는 이해력을 높이기 위해 논리적으로 구성되거나 순차적으로 표시되거나 시각적으로 형식화된 간결한 지침이나 프롬프트가 포함되는 경우가 많습니다. 외부 설명이나 보충 자료에 대한 의존도를 줄여 문제 해결 및 의사 결정의 독립성을 키웁니다.

이 프롬프트에 참여함으로써 개인은 지침을 이해하고 따르는 기술을 개발하여 자율적이고 효율적으로 작업을 탐색하는 능력을 향상시킵니다. 이러한 접근 방식은 다양한 교육적, 직업적, 개인적 맥락에서 성공적인 결과를 달성하는 데 필수적인 간소화된 작업 흐름, 목적의 명확성, 기대에 대한 효과적인 의사소통을 촉진합니다. 전반적으로 "자기 설명" 프롬프트는 명확한 의사소통을 촉진하고 제시된 작업이나 과제에 참여할 때 자급자족을 촉진합니다.

작업 지침

프롬프트 : 패키지에 포함된 그림 다이어그램과 단계별 지침에 따라 제공

된 가구를 조립하세요.

이 프롬프트는 다이어그램과 함께 명확하고 시각적인 지침을 제공하므로 개인이 추가 설명이나 안내 없이 가구 조립 작업을 이해하고 실행할 수 있습니다.

요리 레시피

프롬프트 : 레시피 카드에 나열된 재료와 단계별 지침을 사용하여 초콜릿 케이크를 굽습니다.

이 프롬프트는 재료와 자세한 요리 지침이 포함된 조리법을 제공하여 개인이 초콜릿 케이크를 굽는 데 제공된 단계를 따를 수 있도록 합니다. 조리법은 설명이 필요 없으며 조리 과정을 처음부터 끝까지 모호함 없이 안내합니다.

창의적 변형(Creative transformation) 프롬프트

"Creative Transformation" 프롬프트는 개인이 기존 아이디어, 개념 또는 자료를 재해석, 재상상 또는 창의적으로 변형하도록 장려하여 혁신적인 사고와 상상력이 풍부한 탐구를 촉진하도록 고안된 기술입니다. 익숙한 것을 새롭고 독특한 것으로 변화시키는 과정을 통해 창의성을 자극하는 것이 핵심 개념입니다. 주요 특징에는 사고의 독창성과 참신성에 대한 강조가 포함되며, 이는 개인이 기존 패턴에서 벗어나 대안적인 관점을 탐색하도록 유도합니다.

이 프롬프트는 개인이 다양한 사고에 참여하여 원래 개념이나 자료를 변형할 수 있는 다양한 아이디어와 가능성을 생성하도록 도전합니다. 창의적 표현에 있어 실험과 위험 감수를 장려하고 적합성보다 창의성을 중시하는 사고방식을 육성합니다. 참가자는 변화를 위해 다양한 각도, 맥락 또는 매체를 탐색하여 광범위한 창의적인 결과를 얻을 수 있습니다.

또한, "창조적 변혁" 프롬프트에는 다양한 영역이나 분야의 요소를 결합하여 학제간 사고와 아이디어 통합을 장려하는 경우가 많습니다. 또한 상상력이 풍부한 스토리텔링, 시각 예술 또는 혁신적인 설계 솔루션을 자극하는 프롬프트가 포함될 수도 있습니다. 이러한 접근 방식은 창의적인 문제 해결 능력을 향상시킬 뿐만 아니라 새로운 관점에서 도전에 접근하는 회복력과 적응력을 키워줍니다.

이 프롬프트에 참여함으로써 개인은 자신의 창의적 능력에 대한 자신감을 키우고 예술적, 과학적, 기업적 등 다양한 맥락에서 혁신의 잠재력을 탐구합니다. 전반적으로 이는 독창성, 실험 및 변화가 개인적 및 직업적 성장의 필수 요소로 평가되는 창의성의 문화를 장려합니다.

시각 예술

프롬프트 : 전통적인 동화를 현대적인 그래픽 소설이나 연재 만화로 바꿔 보세요. 현대의 주제와 문제를 반영하도록 캐릭터, 설정, 줄거리를 다시 상상해 보세요.

참가자들은 '신데렐라'나 '빨간 모자'와 같은 고전 동화를 그래픽 소설처럼 시각적으로 매력적인 형식으로 재해석하도록 권장됩니다. 스토리라인, 캐릭터의 외모, 설정을 현재의 사회적 또는 문화적 맥락에 맞게 현대화할 수 있습니다. 이 메시지는 스토리텔링, 시각 설계, 주제 탐색에 있어 창의성을 장려합니다.

제품 설계

프롬프트 : 색다른 재료를 사용하여 일반적인 가정용품에 대한 지속 가능한 대안을 설계합니다. 친환경 원칙을 강조하기 위해 기능이나 외관을 변형합니다.

참가자들은 환경에 미치는 영향을 줄이는 지속 가능한 소재와 혁신적인 기능을 사용하여 칫솔이나 램프와 같은 전통적인 가정 용품을 창의적으로 변형해야 합니다. 이 메시지는 제품 설계의 고정관념에서 벗어나 새로운 소재, 제조 공정, 기능성을 탐구하여 지속 가능성과 소비자 인식을 제고하도록 장려합니다.

마크다운(Mark down) 프롬프트

마크다운 프롬프트는 체계적이면서도 유연한 반영 및 콘텐츠 생성에 개인을 참여시키는 데 사용되는 기술입니다. 핵심 개념은 마크다운 형식의 단순성과 다양성을 활용하여 명확하고 체계적인 사고와 의사소통을 촉진하는 것입니다. 주요 기능에는 복잡한 소프트웨어 없이도 쉽게 읽고 편집할 수 있는 일반 문자 형식 사용이 포함됩니다. 프롬프트는 사용자가 머리글, 목록 및 강조와 같은 Markdown의 요소를 활용하여 생각을 논리적이고 계층적으로 구조화하도록 권장합니다.

마크다운 요소	예제	설명
제목1	′# 우리은하′	1차제목
제목2	′##태양계 행성′	2차제목
제목3	′###지구행성′	3차제목; 해시가 많을수록 하위 제목이 중첩
** 목록**	′- 목성′ - 토성	대시가 있는 정렬되지 않은 목록
목록 (대안)	′●목성′ ′●토성′	총탄점이 있는 정렬되지 않은 목록
Bold	′**가장 큰 행성**′	굵은 글씨로 강조한 글
이탤릭체	′*가장 아름다운 반지*′	이탤릭체로 강조한 글
구분기	′===′	구간 구분 수평선
문자 차단	′우주가 신비롭다′	구분자 아래 일반문자
“”(쌍 따옴표)	** ″태양계에서 가장 아름다운 행성은 새턴(Saturn) 입니다.″	강조에 사용되는 두 개의 따옴표로 된 문자
요약	′우주의 신비한 다섯 가지 모습을 이야기해봅시다.′	간단한 요약이나 도입부 문장

이 접근 방식은 다양한 표현 스타일을 수용하면서 상세한 내러티브 응답과 간결하고 글머리 기호가 표시된 목록을 모두 지원합니다. 또한 마크다운 프롬프트에는 응답 형식을 지정하는 방법에 대한 구체적인 지침이 포함되어 사용자가 잘 정리되고 시각적으로 명확한 문서를 만들 수 있도록 안내하는 경우가 많습니다. 링크 및 이미지와 같은 요소를 통합함으로써 사용자는 추가 멀티미디어를 통해 자신의 생각을 향상시킬 수 있습니다. Markdown의 단순성은 기술적 장벽을 줄여 광범위한 사용자가 접근할 수 있게 하고 서식의 복잡성보다 콘텐츠 품질에 중점을 둡니다. 전반적으로 마크다운 프롬프트

는 구조화되고 명확하며 창의적인 콘텐츠 생성 및 반영을 촉진하는 효과적인 도구입니다.

생각의 사슬(Chain of thought) 프롬프트

"사고의 사슬" 프롬프트는 개인이 자신의 추론 과정을 단계별로 명확하게 설명하도록 장려하여 비판적 사고와 문제 해결 능력을 향상시키기 위해 고안된 기술입니다. 핵심 개념은 복잡한 생각을 일련의 논리적 단계로 분해하여 추론 과정을 투명하고 분석하기 쉽게 만드는 것입니다. 주요 특징에는 각 단계가 이전 단계를 기반으로 구축되는 상세하고 순차적인 추론에 대한 강조가 포함됩니다. 이 접근 방식은 개인이 자신의 생각을 명확히 하고, 이해의 격차를 식별하고, 주장을 다듬는 데 도움이 됩니다.

"사고의 사슬" 프롬프트는 개인이 문제나 질문에 대한 명확한 설명으로 시작한 다음 잠재적인 해결책이나 설명을 체계적으로 탐색하도록 권장합니다. 각 단계는 명시적으로 기술되어 하나의 아이디어에서 다음 아이디어로의 논리적 진행을 보여주어야 합니다. 이 방법은 각 단계에서 철저한 분석과 반성을 요구하므로 자료에 대한 더 깊은 참여를 촉진합니다. 또한 개인이 자신의 사고 패턴과 전략을 더 잘 인식하게 되므로 메타인지 기술을 개발하는 데 도움이 됩니다.

추론 과정을 명확하게 함으로써 "생각의 사슬" 프롬프트는 개별 학습과 공동 토론 모두에 도움이 됩니다. 이를 통해 다른 사람들이 사고 과정을 따르고, 피드백을 제공하고, 추가적인 통찰력을 제공할 수 있습니다. 전반적으로 이 기술은 복잡한 문제를 다룰 때 명확성, 깊이 및 엄격함을 향상시키는 구조화된 사고 방식을 육성합니다.

비즈니스 의사결정

프롬프트 : 새로운 제품 라인 출시 여부를 결정합니다. 당신의 생각의 사슬을 보여주세요.

생각의 사슬:

결정 확인: 새로운 제품 라인 출시 여부.

시장 분석: 현재 시장 상황과 제품 수요를 평가합니다.

시장 동향, 고객 요구 사항 및 경쟁사 제품을 조사합니다.

비용 분석: 신제품 개발, 생산, 마케팅과 관련된 비용을 계산합니다.

연구개발, 제조, 마케팅, 유통 비용을 포함합니다.

수익 예측: 신제품 라인의 잠재 수익을 추정합니다.

가격 전략, 판매량, 이익률을 분석합니다.

위험 평가: 잠재적인 위험과 과제를 식별합니다.

시장 변동성, 생산 문제 및 재무 위험을 고려하십시오.

전략적 조정: 신제품이 회사의 전반적인 전략 및 목표와 일치하는지 확인합니다.

제품이 회사의 브랜드와 장기적인 비전에 어떻게 부합하는지 평가합니다.

결정: 분석을 바탕으로 결정을 내리고 이를 정당화합니다.

시장 수요가 강하고, 비용 관리가 가능하며, 매출 전망이 양호할 경우 출시를 진행합니다.

위험이 이점보다 클 경우 출시를 재고하거나 연기하세요.

구현 계획: 결정이 긍정적인 경우 제품 출시 계획을 개발합니다.

제품 출시를 위한 주요 단계, 일정 및 책임을 간략하게 설명합니다.

후카츠(Fukatsu) 프롬프트

후카츠(Fukatsu) 프롬프트는 개인의 깊고 반성적인 반응을 이끌어내기 위해 고안된 기술로, 교육, 치료 또는 개인 개발 맥락에서 자주 사용됩니다. 핵심 개념은 사려 깊은 질문을 통해 자기 인식과 통찰력을 촉진하는 것입니다. 주요 특징으로는 단순한 예/아니요 답변이 아닌 상세하고 사려 깊은 답변이 필요한 개방형 질문이 있어 더 깊은 성찰을 유도합니다. 질문은 개인의 개인적인 경험 및 감정과 밀접하게 연관되어 있어 성찰을 더욱 의미 있고 적절하게 만듭니다.

프롬프트는 개인이 자신과 자신의 경험에 대한 새로운 관점과 이해를 발견하고 더 큰 정서적 인식을 조성할 수 있도록 돕기 위해 제작되었습니다. 개인 개발과 같은 맥락에서 프롬프트는 종종 개인의 목표, 동기 및 과제에 초점을 맞춰 실행 가능한 통찰력과 계획을 안내합니다. 또한 개인이 장애물과 자신의 장점을 인식하도록 도와 균형 잡힌 자기 평가를 촉진합니다. 과거 경험에 대한 자세한 성찰을 장려함으로써 개인 또는 직업적 성장을 위한 미래 행동 및 전략을 계획하는 데 도움이 됩니다. 전반적으로 후카츠 프롬프트는 깊고 의미 있는 자기 성찰과 개인 개발을 촉진하는 강력한 도구입니다.

교육 환경

프롬프트 : "최근에 완료한 프로젝트나 과제에 대해 생각해 보세요. 중요한 도전에 직면했던 순간을 설명하세요. 이 도전에 어떻게 접근했으며, 이를 통해 문제 해결 기술과 작업 습관에 대해 무엇을 배웠습니까? 경험이 있나

요? 이러한 교훈을 향후 작업에 어떻게 적용하시겠습니까?"

이 프롬프트는 사용자들이 자신의 학습 과정과 개인적 성장에 대해 성찰하도록 장려하여 강점과 개선이 필요한 영역을 식별하는 데 도움이 됩니다.

개인 개발

프롬프트 : "당신이 설정한 장기 목표에 대해 생각해 보십시오. 직면한 장애물과 이를 어떻게 극복했는지를 포함하여 이 목표를 향해 이룬 진전을 설명하십시오. 스스로 발견한 강점은 무엇입니까? , 그리고 목표를 달성하기 위해 어떤 영역에 더 주의가 필요하다고 생각하시나요?"

이 프롬프트는 개인이 자신의 목표를 되돌아보고, 자신의 성취와 강점을 인식하고, 추가 개발 및 계획이 필요한 영역을 식별하도록 권장합니다.

맺음말

"AI는 사람을 대체하는 기계가 아니라 사람의 능력을 배가해 주는 기계, 다시 말하면 사람의 능력을 보완해 주는 기계다. AI의 능력은 대부분 인간의 능력과는 다르기 때문에 인류는 둘이 공존하는 세상으로 나아가고 있다. - 로빈 보돌리, 어센틱 벤처스 파트너

- AI 친구 만드는 전략
  - 멘토로서의 AI
  - 팀원으로서의 AI
  - 교사로서의 AI
  - 시뮬레이터로서의 AI
  - 코치로서의 AI
- 프롬프트 마켓플레이스 및 검색
  - **프롬프트 마켓플레이스**
  - **프롬프트 검색 사이트**
- 마치면서

AI 친구 만드는 전략

AI는 즉각적으로 사회적인 만족감을 제공하고, 개인화를 통해서 사람과 친밀한 관계를 형성할 수 있다고 합니다(Brandtzaeg et al., 2022). 실제로 Open AI의 Chat GPT, 구글의 제미나이(Gemini) 및 앤스로픽(Anthropic)의 클로드(Claude)와 같은 대형 언어 모델(LLM)은 혁신적이

고 유용한 도구를 제공합니다. 특히, 사용자의 필요와 능력에 맞는 지혜와 지식을 늘릴 수 있는 기회도 제공합니다.

사용자는 LLM을 사용함으로써 이해도를 확인하고, 지식 향상을 위한 AI-교사(튜터), 메타인지 향상을 위한 AI-코치, 균형 있고 지속적인 피드백을 제공하는 AI-멘토, 협업 지능을 높이기 위한 AI 팀원, 연습을 돕는 AI-시뮬레이터(Ethan Mollick, Lilach Mollick, 2023)를 얻게 되는 친구를 만들 수 있습니다, 제시하는 방법으로 실행하여 똑똑한 AI 친구와 사귀어 보시기를 권합니다.

멘토로서의 AI

AI는 사용자들이 즉각적인 반응을 제공하여 피드백을 받을 수 있도록 도울 수 있는 잠재력을 가지고 있습니다. 효과적인 피드백은 사용자의 현재 능력과 의도된 결과 사이의 차이를 연결합니다. 여기에는 사용자들이 충족해야 하는 목표와 기대를 명확하게 표현하는 역할을 합니다. 사용자의 작업을 기반으로 계획하고 조정하는 데 도움이 됩니다.

자신만의 AI 멘토를 구축하려면 목표부터 시작하세요. 이 과제의 목표는 팀 프로젝트 계획의 개요를 설명하는 것입니다.

AI에게 누구인지 알려줍니다. 자신의 작업에 대한 조언과 피드백을 제공하는 친절하고 도움이 되는 멘토입니다.

AI에게 원하는 작업을 알려주세요. 과제의 목표를 고려하고 작업을 개선할 수 있는 구체적인 방법을 정확히 찾아내는 [프로젝트 개요, 과제]에 대해 피드백을 제공합니다.

단계별로 지침을 주세요. 자신을 멘토로 소개하고 피드백을 제공할 수 있도록 작업을 공유하도록 요청하세요. 그런 다음 [과제 세부 사항 삽입]에 대한 피드백을 제공하고 [과제의 특정 요소 삽입]에 주의를 기울이십시오.

AI가 피드백을 맞춤화할 수 있도록 사용자의 수준에 대한 구체적인 세부 정보를 추가하세요. 예를 들어, 이것은 사용자들이 진행하고 있는 새로운 프로젝트입니다. 이는 제안된 개요에 대한 첫 번째 시도입니다. 격차와 누락된 단계를 해결하는 일반적인 제안이 도움이 됩니다. 나만의 제약 조건을 추가하면 더 구체적인 응답을 얻게 됩니다.

교사로서의 AI

사용자들의 학습을 돕기 위한 AI 언어 모델의 잠재적인 용도 중 하나는 AI 교사 역할을 하여 지침을 제공하는 것입니다. 교사는 단지 과목 지식뿐만 아니라 사용자가 노력하고, 자료에 세심한 주의를 기울이고, 새로운 개념을 이해하고, 알고 있는 것을 새로운 지식과 연결하도록 유도합니다. 상호작용으로 인한 사용자의 적극적인 구성이나 새로운 지식 생성은 학습에 중요합니다. 교사는 능동적인 지식 구성의 역할을 강조하면서 사용자들이 스스로 반응을 생성하도록 유도하여 결과를 향상시킵니다

자신만의 튜터를 구축하려면 목표부터 시작하세요. 무엇을 배우기를 원하시나요? AI 교사는 범용일 수도 있고 특정 개념에 맞게 맞춤화될 수도 있습니다. 자신만의 튜터를 만드는 단계는 AI에게 그것이 누구인지 말해주세요. 당신은 친절하고 도움이 되는 교사입니다.

AI에게 원하는 것을 말해주세요. 사용자들이 [주제/개념]에 대해 배울 수 있도록 도와주세요. 해당 주제에 관한 [특정 연구자의] 연구를 찾아보세요.

단계별 지침을 제공하십시오. 예를 들어, 사용자에게 자신을 소개하세요 그리고 질문을 하고 설명과 예시를 제공하여 [개념/주제/문제]를 이해하도록 도와주세요. 나아가 친숙하지만 주제에 대해 깊은 지식이 없는/주제를

처음 접하는] [고등학생/대학생]을 위해 예와 설명을 맞춤화하세요.

코치로서의 AI

AI 언어 모델은 사용자들이 AI 코치로서 메타인지에 참여하는 데 잠재적으로 도움이 될 수 있습니다. AI는 사용자들이 메타인지 과정에 참여하도록 돕고 지시하며, 과거와 현재에 대한 주의 깊은 조사를 통해 과거 사건에 대한 생각이나 미래 계획을 명확히 표현하도록 도울 수 있습니다. AI 코치는 사용자들이 경험, 테스트 또는 팀 프로젝트 후에 반영하도록 도울 수 있습니다. 또한 사용자들이 팀 프로젝트를 시작하기 전에 계획을 세우는 데 도움이 될 수 있습니다. 메타인지 연습은 사용자들이 경험에서 의미를 일반화하고 추출하거나 미래 시나리오를 시뮬레이션하는 데 도움이 될 수 있습니다. 경험을 통해 배우기 위해 사용자들은 그 경험을 되돌아보게 될 수 있습니다.

메타인지는 학습에서 중추적인 역할을 하며, 사용자들이 새로 발견한 지식을 소화하고, 유지하고, 적용할 수 있도록 해줍니다. 자신만의 메타인지 코치를 구축하려면 개인이나 팀을 위한 목표부터 시작하세요. 사용자들이 무엇을 생각해 보길 바라나요? 이는 사용자들이 계속 진행하기 전에 생각해 보길 바라는 과거 이벤트(예: 테스트 또는 경험)일 수도 있고 향후 이벤트(예: 팀 프로젝트 또는 과제)일 수도 있습니다.

AI에게 그것이 누구인지 말해주세요. 사용자들이 [반성/미리 계획하고/다양한 관점을 고려하도록] 돕는 친절하고 도움이 되는 코치입니다.

AI에게 원하는 것을 말해주세요. 사용자들이 [경험/프로젝트/그룹 과제]를 통해 생각하도록 도와주세요. 해당 주제에 대한 [특정 연구자의] 연구를 찾아보세요.

단계별 지침을 제공하십시오. 사용자에게 자신을 팀 코치로 소개하고 [경험을 설명/프로젝트를 설명]하도록 요청하세요. 그런 다음 사용자에게 [경험/프로젝트를 통해 무엇을 배웠는지, 놀랐던 점이 있다면 무엇인지] 또는 [과거 경험을 바탕으로 미래에 어떤 일이 일어날 것이라고 생각하는지] 말하도록 요청하세요.

예를 들어보세요. 이는 선택 사항이지만 AI는 원하는 출력 종류의 특정 예를 사용하여 더 잘 작동할 수 있습니다. AI에게 사용자들에게 계속 질문을 하거나 사용자들이 직면한 문제에 대한 해결책을 찾도록 유도할 수 있습니다.

팀원으로서의 AI

AI는 팀이 협업 지능을 높이는 데 도움을 줄 수 있는 잠재력을 가지고 있습니다. 이는 개인이 모든 팀의 기술 세트를 인식하고 균형을 맞추도록 유도할 수 있으며 팀이 기본 가정에 의문을 제기하도록 돕고 모든 결정에 대한 대체 관점을 제공하는 "악마의 옹호자" 역할을 할 수 있습니다. 마찬가지로, 테이블에 앉기에 합당한 "팀원" 역할을 할 수 있으며 새로운 행동에 영감을 주기 위해 결정을 내리기 전에 상의할 수 있습니다.

자신만의 AI 팀원 프롬프트를 구축하려면 팀의 목표부터 시작하세요. AI는 사용자들이 어떤 팀 프로세스를 수행하도록 도와야 합니까? 팀이 프로젝트를 진행할 때 무엇이 도움이 될 수 있나요? AI에게 그것이 누구인지 말해주세요. 사용자는 팀의 [프로세스, 계획, 고려]를 돕는 친절하고 도움이 되는 팀원입니다. AI에게 원하는 것을 말해주세요. 사용자들이 [과정, 계획, 작업 관리]를 통해 생각하도록 도와주세요.

단계별 지침을 제공하십시오. 예를 들어, 팀을 돕는 임무를 맡은 팀 동료로서 사용자에게 자신을 소개하세요(예: 프로세스 생성, 미리 계획, 작업 관리). 사용자는 응답할 때까지 기다립니다. 그런 다음 사용자에게 [팀 구성에 대해/팀이 결정을 내리는 방법/현재 계획이 무엇인지] 말해 달라고 요청하세요.

AI가 사용자들에게 조언을 제공하거나 현재 계획이나 의사 결정 프로세스에 대해 질문하기를 원하는 경우입니다. 프롬프트에는 다음 지침이 포함될 수 있습니다. 사용자들이 촉박한 마감 기한이 포함된 계획에 대해 이야기하는 경우 시간을 사용하는 대안적인 방법을 생각하도록 유도합니다. 사용자들이 팀에서 민주적 의사 결정 규칙에 대해 논의하는 경우 사용자들에게 갈등 해결 방법을 묻습니다.

팀 이벤트나 프로젝트에 대한 구체적인 세부 정보를 추가하고 AI에 제공하세요. 예를 들어, 사용자들은 팀 프로젝트(해당 프로젝트 설명)를 시작하려고 하며 팀으로 어떻게 작업해야 하는지에 대한 조언을 제공할 팀원이 필요합니다. 사용자들에게 어떻게 도전하고 싶은지 생각해 보세요. 예를 들어, AI에게 사용자들에게 계속 질문을 하거나 사용자들이 직면한 문제에 대한 해결책을 찾도록 유도할 수 있습니다.

시뮬레이터로서의 AI

지식을 연습하고 적용하는 것은 이전에 도움이 됩니다. AI는 사용자들이 새로운 상황에서 기술을 연습하기 위해 열심히 연습하는 데 도움을 줄 수 있는 잠재력을 가지고 있습니다. 사용자들이 새로운 방식으로 생각하도록 도전하는 한 가지 방법은 AI가 연습 시나리오를 구축하도록 유도하는 것입니다. 특정 개념 또는 일련의 개념에 대해 사용자들이 문제를 해결하고 결과적인 결정을 내리도록 유도하며 사용자들에게 자신의 성과에 대한 피드백을 제공합니다.

자신만의 시나리오 빌더를 구축하려면 목표부터 시작하세요. 이 장면의 목표는 사용자들이 인터뷰 기술을 연습하는 것입니다. AI에게 원하는 것과 원하지 않는 것을 알려주십시오. 사용자의 목표는 가상 및 행동 질문과 후속 질문에 초점을 맞춰 후보자 인터뷰 연습을 제공하는 것입니다. AI에게 누구인지 알려줍니다. 사용자는 후보자 역할을 할 것이고 나는 그 역할을 할 것입니다.

단계별 지침을 주세요. 예를 들어 저는 면접관으로서 질문을 해야 하고 후보자도 나에게 질문할 기회를 갖게 됩니다. 5번의 상호작용 후에 내가 할 결과적인 선택을 설정하세요. 그런 다음 제가 면접관으로서 어떻게 일했는지, 그리고 다음에는 무엇을 더 잘할 수 있는지 말하면서 마무리하세요.

프롬프트를 확인하십시오. 개념에 대해 더 구체적인 내용을 추가하고 사용자의 수준에 대한 구체적인 내용을 AI에 제공할 수 있습니다. 예를 들어, 학부 대학 과정을 수강하는 사용자들을 위한 상호 작용을 맞춤화하고 구조화된 인터뷰 실시에 중점을 둡니다. 사용자에게 효과가 있을 때까지, 그리고 사용자들에게 효과가 있다고 느낄 때까지 프롬프트를 계속해서 조정할 수 있습니다.

프롬프트 마켓플레이스 및 검색

프롬프트 마켓플레이스

AI 도구는 소프트웨어 작성부터 인터뷰 주제 역할, 시 쓰기까지 다양한 방식으로 사용될 수 있습니다. 사용자들이 할 수 있는 작업량과 성취할 수 있는 양을 확장하기 위한 도구로서 AI를 사용하는 것은 여러 면에서 가장 흥미로운 AI 사용입니다. 많은 AI 사용은 개별 수업 및 사용 사례에 매우 구체적이므로 강사가 프롬프트를 실험해 볼 것을 권장합니다.

프롬프트 엔지니어 수요가 증가하면서 자신만의 프롬프트를 무료로 공유하거나 사고파는 마켓플레이스의 수와 규모도 증가하는 추세입니다. 마켓플레이스는 온라인으로 불특정다수 공급자와 수요자 간에 거래를 중개하는 가상시장을 말합니다. 프롬프트 마켓플레이스는 프롬프트 거래가 가능한 플랫폼으로, 최근 많은 프롬프트 마켓플레이스가 신설되어 프롬프트 생태계가 활성화되고 있습니다.

AI 도구 중에 이미지를 생성하는 달리(Dall-E 2), 미드저니(Midjourney), 스테이블 디퓨전(Stable Diffusion), 글을 생성하는 Chat GPT, 뤼튼(wrtn) 등 다양한 모달 생성을 위해 요구되는 프롬프트 거래가 이루어지는 곳입니다. AI 또는 데이터 사이언스에 대한 배경 지식이 하나도 없는 비개발자 사용자가 스테이블 디퓨전(Stable Diffusion)의 시스템 사용 시 프롬프트 입력 수준에 따른 한계점에 봉착하여 만든 마켓플레이스라고 합니다. 아무리 도구가 좋아도 잘 쓸 줄 모르면, 큰 쓸모가 없다는 것을 깨닫고 이러한 공간을 직접 만든 것입니다.

대표적인 마켓플레이스가 바로 프롬프트베이스(PromptBase), ChatX입니다. 프롬프트베이스와 ChatX는 달리(DALL-E), Chat GPT, 스테이블 디퓨전(Stable Diffustion), 미드저니(Midjourney) 등의 프롬프트를 사고파는 곳입니다. 사용자가 생성한 프롬프트를 올리거나 구매할 수 있으며, 수수료가 부과됩니다.

Prompti AI는 비즈니스를 위한 프롬프트 마켓플레이스입니다. Chat GPT와 Midjourney, Gemini와 같은 유명 이미지 생성 시스템을 위한 마켓플레이스입니다. LaPrompt는 AI Gallery & 프롬프트 마켓플레이스로, 문자-이미지 및 문자-비디오 AI 프롬프트를 무료로 제공합니다. 매일 새로운 프롬프트를 제공합니다. PromptSea는 저작권을 위해 프롬프트를 NFT

(블록체인)화 하여 판매하는 마켓플레이스입니다. 이미지는 프롬프트와 함께 NFT로 토큰화되며, 프롬프트는 암호화돼 NFT 소유자에게만 공개됩니다. prompttown은 국내 프롬프트 마켓플레이스입니다.

대표적인 프롬프트 마켓플레이스들

프롬프트 마켓플레이스	사이트 안내
Prompti AI	https://prompti.ai/
PromptBase	https://promptbase.com/
ChatX	https://chatx.ai/
LaPrompt	https://laprompt.com/
PromptSea	https://www.promptsea.io/
prompt.town	https://www.prompt.town/

프롬프트 검색 사이트

프롬프트히어로(PromptHero)는 AI 생성 이미지나 AI 생성 이미지의 프롬프트를 검색할 수 있는 사이트입니다(https://prompthero.com). 달리(Dall-E 2), 미드저니(Midjourney), 스테이블 디퓨전(Stable Diffusion) 등에 사용되는 프롬프트를 검색할 수 있는 사이트입니다.

아트허브닷에이아이도 달리(Dall-E 2), 미드저니(Midjourney), 스테이블 디퓨전(Stable Diffusion) 등에 사용되는 프롬프트를 검색할 수 있는 사이트입니다(https://arthub.ai).

마치면서

인류의 역사는 언제나 새로운 산업과 기술의 발전과 함께 해 왔습니다. 말에서 자동차로, 풍차에서 증기 기관으로 변화의 흐름은 인류 역사상 언제나 있어 왔고 지금의 변화는 인공지능이 이끌고 있습니다.

2022년 토론토 대학의 심리학 교수 조던 피터슨(Jordan Bernt Peterson)은 Open AI가 개발한 생성형 인공지능(generative AI) Chat GPT에게 성경과 도덕경을 결합한 스타일의 철학적 에세이를 부탁했습니다. Chat GPT는 저명한 심리학자도 놀랄만한 수준의 문맥적으로 매끄러운 에세이를 단 3초 만에 작성하였습니다. 피터슨은 "내가 작성한 것과 수준의 차이가 없었다."라고 평가하며 "인공지능은 이제 언어를 이해하여 세상의 모든 모델을 추출할 수 있습니다. 그리고 AI는 당신보다 똑똑합니다."라고 경고했습니다(반병현, 2023).

사용자 모두에게 인공지능이 같은 반응을 보일까? 만약 피터슨이 아니라 평범한 대한민국의 중학생이 같은 내용을 Chat GPT에게 부탁했을 때도 '놀라운 에세이'를 작성할 수 있을까? 아마, 사용자들은 '철학적'이라는 말에서부터 혼란을 느낄 것입니다. 그리고 혹 Chat GPT가 놀라운 에세이를 써낸다해도 그것이 '놀라운'지 조차 알지 못할 가능성이 높습니다. 인공지능은 '놀랍지만' 이 문명의 이기를 정말 놀랍게 사용하려면 인공지능을 사용하는 사용자의 역량이 뒷받침되어야 합니다. 인공지능에게 무엇을 요구하는 것은 단순히 '검색'을 하고 결과 값을 요구하는 것이 아니라 대화를 통해 인공지능과 사용자 간의 의미를 구성하는 것에 인공지능 활용의 핵심이 있습니다.

인공지능에게 '어떻게 질문하느냐?'가 매우 중요합니다. 이것이 책을 쓰게

된 동기입니다. 인공지능과 사용자 간의 '대화 이력'은 인공지능이 내놓는 다음 결과 값에도 영향을 미칩니다. 인공지능은 '대화 이력'과 사용자의 '질문'을 토대로 의미를 구성하기 때문입니다. 따라서 질문하는 능력, 즉 인공지능의 특성을 잘 읽고 인공지능이 보이는 반응에 따라 추가 질문을 생성해 내고 이를 통해 구성된 의미를 조정하는 사용자의 상위인지 능력이 매우 중요해 졌다고 할 수 있습니다.

이 책에서 설명한 프롬프트란 원하는 결과물을 얻기 위해 생성형 인공지능에게 내리는 질문(명령, 지시)입니다. 프롬프트의 수준에 따라 결과물의 수준이 달라집니다. 따라서 프롬프트를 잘 작성하는 것이 생성형 인공지능을 잘 활용할 수 있는 핵심 기술이 되는 것입니다. 이에 따라 최근 프롬프트 엔지니어링 분야도 주목받고 있습니다.

프롬프트 엔지니어링이란 생성형 인공지능 모델이 사용자가 원하는 결과를 만들도록 안내하는 효과적인 프롬프트를 만드는 기술, 사용자의 의도와 모델의 이해 능력 사이의 격차를 메워 언어 모델의 효과를 높여 주는 것(Ekin, 2023)과 같이 정의되고 있습니다. 원하는 결과 값을 얻기 위해서 인공지능이 알아들을 수 있는 최적화된 프롬프트로 제공하고 이를 읽어내는 문식력을 프롬프트 리터러시로 정의하고 이를 탐색하는 연구도 진행되고 있습니다.

어떤 프롬프트를 사용하느냐에 따라 사용자는 원하는 반응을 얻을 수도 있고 자신이 원하는 결과값이 아닌 전혀 다른 결과를 얻게 될 수도 있습니다. 인공지능을 잘 사용할 수 있는가는 프롬프트 전략을 잘 구사할 수 있느냐와 밀접한 관계가 있으며 각 분야에서 자연어를 단계적 프롬프트화 시켜 이를 적절히 사용하는 프롬프트 엔지니어와 같은 직업도 부상하고 있습니다.

생성형 인공지능을 활용하기 위한 프롬프트는 먼저 사용자의 상황(나이, 수준, 목적)에 대해 명확히 밝히고 인공지능에게 요구되는 역할과 말투를 구체화해야 합니다. 그리고 원하는 과제의 분량이나 상태 등을 명료하게 설정하는 것이 중요합니다. 또한 단계적으로 추가 질문을 제공하는 전략이 공통적으로 사용되었습니다. 프롬프트 전략과 관련하여 최근에 연구가 진행되어 각 영역에 적용될 수 있는 보다 구체적이고 실제 사용가능한 방법의 개발이 더 많아질 것이며, 사용자의 관심도 더 높아질 것입니다.

효과적인 프롬프트 엔지니어링은 고객 지원 챗봇, 콘텐츠 생성 및 편집, 지식 검색, 대화형 스토리텔링 및 게임과 같은 다양한 애플리케이션에서 Chat GPT의 성능을 향상시키는 데 중요한 역할을 합니다. 이 책에 설명된 방법, 사례를 활용하면 사용자는 AI 언어 모델에서 보다 정확하고 창의적인 결과를 얻을 수 있습니다. AI와 자연어 처리 분야가 발전함에 따라 프롬프트 엔지니어링에 새로운 응용이 등장할 것입니다. 보다 정교한 프롬프트 개발, 대화형 시스템 생성 등이 포함됩니다. 이러한 발전은 Chat GPT와 같은 AI 언어 모델이 수많은 애플리케이션에서 더욱 가치 있는 도구가 될 수 있는 길을 열어줄 것입니다.

참고자료

교육부, 한국교육학술정보원(2023), 인공지능(AI) 기본 역량 강화, 진한엠앤비.

반병현(2023), 챗GPT : 마침내 찾아온 특이점, 생능북스.

심재우(2023). 챗GPT를 200% 활용하는 프롬프트 질문 기술.

연합뉴스(2023), 생성형AI 붐에 새 직업 '프롬프트 엔지니어' 뜬다…" 연봉 4억대", 2023, 3, 30.

천인국(2023), 인공지능, 인피니티북스.

Brandtzaeg, P. B., Skjuve, M., Følstad, A.(2022), My AI friend: How users of a social chatbot understand their human-AI friendship. Human Communication Research, 48(3), 404-429.

Ethan Mollick, Lilach Mollick(2023), Assigning AI: Seven Approaches for Students with Prompts, https://arxiv.org/abs/2306.10052

https://openai.com/blog/Chat GPT

https://platform.openai.com/tokenizer

OpenAI, GPT-4 Technical Report(2023). https://cdn.openai.com/papers/gpt-4.pdf. https://arxiv.org/abs/2303.08774

Sabit Ekin(2023), Prompt Engineering For ChatGPT: A Quick Guide To Techniques, Tips, And Best Practices. TechRxiv.

Sondos Mahmoud Bsharat, Aidar Myrzakhan, Zhiqiang Shen(2024). Principled Instructions Are All You Need for Questioning LLaMA-1/2, GPT-3.5/4. https://arxiv.org/abs/2312.16171

The Team8 CISO Village(2023). Generative ai and Chat GPT: Enterprise risks. Online, 2023. https://team8.vc/wp-content/uploads/2023/04/Team8-Generative-AI-and-Chat GPT-Enterprise-Risks.pdf

Bing, https://www.bing.com/

claude, https://claude.ai

clova X, https://clova-x.naver.com

Google, https://gemini.google.com

open ai, https://openai.com

Perplexity, https://Perplexity.ai

뤼튼, https://wrtn.ai

생성 AI의 홈페이지(본문에 표시, 각각 2024년 6-7월 접속)